*List Taschenbücher der Wissenschaft*
*Literaturwissenschaft*

*Thalmann, Die Romantik des Trivialen*
*Band 1442*

Liebe, Verbrechen und Abenteuer sind die bevorzugten Stoffe der Trivialliteratur, die in unserer Zeit der Massenmedien und des Massenkonsums in voller Blüte steht.
Marianne Thalmann hat schon in den Zwanzigerjahren auf den Trivialroman des 18. Jahrhunderts und seine Wirkung auf die Romantik hingewiesen; damals ging es ihr um die Inventarisierung von literarischen Ausdrucksformen; in ihrer neuen Arbeit wagt sie eine Wertung und Rehabilitierung von Phänomenen, die der l'art pour l'art-Standpunkt nicht zur Kenntnis nimmt. Marianne Thalmanns Einsichten gelten einer Ästhetik des Trivialen; am Bundesroman demonstriert die Verfasserin die Elemente jener Bestseller der Romantik, die erstmals auch die Darstellung des Verbrecherischen und menschlich Interessanten riskieren.
Die Frage nach dem »Wie« der Aneignung von Stoffen und deren Auswertung steht im Mittelpunkt einer Arbeit, die am Beispiel von Grosses »Genius« die fließenden Grenzen zwischen hoher und niedriger Literatur zeigt, aber Vergleiche mit Parallelerscheinungen der Gegenwart nicht scheut. Marianne Thalmanns anregende Studie ist als Studenten der Germanistik und der Literaturwissenschaft im allgemeinen.

*Interessenten:*
Studenten der Germanistik und der Literaturwissenschft im allgemeinen.

*Marianne Thalmann*

# Die Romantik des Trivialen

*Von Grosses »Genius« bis Tiecks »William Lovell«*

*List Verlag München*

*Originalausgabe*

*ISBN 3 471 61442 7*


*Printed in Germany. Schrift: Baskerville-Antiqua*
*Druck: Presse-Druck, Augsburg. Bindearbeit: Klotz, Augsburg*

Inhalt

# Vorwort

Der Bundesroman, um den es in der vorliegenden Arbeit geht, ist als Bestandteil der trivialen Erwachsenen-Bildung des 18. Jahrhunderts ungerechtfertigt verniedlicht worden. In den letzten Jahren sind uns aber Erfahrungen zugewachsen, die ihm neben dem moralisch-belehrenden Familienroman, neben dem philanthropischen Buch und dem historischen Ritterroman ausgesprochen literarisches Gewicht geben. In diesen billigen Büchern für den Lesehunger des kleinen Mannes liegt eine sensationslustige Version des Pitaval vor, die an Stelle des Erbaulichen und Idyllischen die Darstellung des Verbrecherischen, aber auch menschlich Interessanten wagt, was für die Romantik und den Krimi erst auszuwerten ist.

Im Mittelpunkt der Darstellung steht der *Genius* von Carl Grosse, dem Romantiker der Trivialliteratur, als Beispiel für die fließenden Grenzen zwischen hoher und niedriger Literatur. Von da aus ergibt sich insbesondere für Tiecks *William Lovell* eine Schlüsselstellung unter den verketzerten Büchern, die den Abbau der Idylle und den Aufbau eines neuen Menschenbildes unternommen haben.

Die vorliegende Arbeit baut auf die Ergebnisse meiner Publikation *Der Trivialroman des 18. Jahrhunderts und der romantische Roman* (Berlin 1923) auf und versucht die dort festgestellte Elementenmenge als Mitteilung von Zeichen literarisch zu legitimieren.

# Eine literarische Revolution

Es ist eine populäre Vorstellung, daß die romantische Jugend an Goethes *Götz* und an Shakespeares *Sommernachtstraum* lesen gelernt hat. Sie ist aber auch so jung und rasch an *Hamlet* und *Don Quijote* herangekommen, daß wir leicht übersehen, daß sie so wenig wie wir an der modischen Unterhaltungsliteratur vorbeigegangen ist. Sie lebt von früh an mit Buchstaben und Wörtern. Das Verstandene und das Unverstandene treten an sie heran. Für diese Jugend gilt, was Novalis am 1. August 1794 an Friedrich Schlegel schrieb: »Jedes Buch, das ich in einem Winkel liegen sehe, was der alltäglichste Zufall mir in die Hände spielt, ist mir Orakel, schließt mir eine neue Ansicht auf, unterrichtet und bestimmt mich.« Auch diese jungen Leute haben ihre *Lolita* und ihren *James Bond* gebraucht. Auch sie haben das große Buch gebraucht, das sich nur langsam aufschließt, *und* den Thriller, mit dem man einschläft. Summa summarum – man schläft schon schlecht.

Diese jungen Menschen eilen mit der Zeit und über ihre Zeit hinaus. Ludwig Tieck kam 1782 – mit neun Jahren – in die Quinta des Friedrich-Werder-Gymnasiums und saß mit fünfzehn in der Prima, in die man mit der Reitpeitsche kommen durfte und nicht mehr mit »Er« angesprochen wurde. Man war sozusagen Mann unter Männern. Sie haben sich im Lustgarten ihre Straßenschlachten geliefert gegen die Collegiaten des benachbarten französischen Instituts, sie haben sich in die vordersten Reihen gedrängt, wenn der König an der Spitze seiner Generäle durch die Straßen kam oder der skurrile Hofrat Karl Philipp Moritz von der Kanzel herunter Ästhetik predigte, eine Religion, die gefiel.

Sie registrieren alles, vom Puppentheater angefangen bis zu Schillers *Räubern.* Sie spielen selbst. Sie schreiben ihre Stücke selbst. Sie machen ihre Helme und Panzer selbst. Sie haben im Tiergarten gespielt, in Kirchenecken, im Haus des kgl. Kapellmeisters Reichardt. Es hat ihnen Prügel eingetragen und auch das Lächeln des Königs. Sie lesen, wo sie gehen und stehen, auch im Regen unter der Straßenlaterne. Sie suchen Freundschaften, wo sie nicht da sind, und haben auch wieder die, an die man nur mit nassen Augen schreibt. Zwischen den französischen Barrikadenkämpfen und dem Aufmarsch der Napoleonischen Massenheere erleben sie eine unheimlich kompakte Jugend, die kurz bemessen und naturgemäß hektisch war.

Sie haben eine triviale Unterhaltungsliteratur gekannt, die sie mit derselben Spannung verschlungen haben, wie wir die billigen Bändchen der Detektivgeschichten. Es waren die zerlesensten Bücher der Zeit, die ein Lesebedürfnis von sehr verschiedener Qualität befriedigt haben und auch selbst aus verschiedenem Teig waren. Es hat auch gute Namen gegeben, die mit dem Lesehunger der Masse gerechnet haben: Schiller mit dem *Geisterseher,* Wieland mit *Peregrinus Proteus,* Jean Paul mit dem *Titan.* Man hat gelesen und man hat mit Leidenschaft gelesen. Es entsteht »jene unverwüstliche Kreatur, die wir hinter Ladentischen, auf Caffeehäusern, unter den lieben Zeitungen und allerliebsten Journalen, Tagesblättern, Broschüren, Libellen (nicht die Insekten), Romanen und dergleichen sitzen sehen und schlingen«.[1]

Man braucht nicht zu fragen, ob das Triviale der Wirklichkeit der gesellschaftlichen Zustände gerecht werden konnte. Es hat der Zeit sogar mehr entsprochen als Goethes *Iphigenie* oder Lessings *Emilia Galotti.* Und wenn sie auch beide die Gewalttätigkeiten der Napoleonischen Kriege durch Bildungsimpulse nicht verhindert haben, wie gelegentlich bemängelt wurde, kann dieser moralische Vorwurf weder dem einen noch dem andern seinen literarischen Wert absprechen. Die kostbare Bibliothek, die Ludwig Tieck 1849 von Asher versteigern ließ, um die Schulden seines Bruders Friedrich zu decken, enthielt diese Modeliteratur in eben solchen Mengen, wie sich für uns die Taschenbücher in den Regalen häufen. Es ist soziologisch nach vieler Richtung hin festgestellt worden, daß diese Trivialliteratur einer Gesellschaft entsprach, für die die Erbauungsbücher religiösen Inhalts, die Kalender und Traumbücher nicht mehr ausreichend waren. Sie wollte nicht nur von Heiligen und christlichen Pflichten lesen, war aber für die *Schöne Magelone* und die *Haymonskinder* schon zu klug. Sie wollte etwas aus ihrem eigenen Alltag lesen. Frauen wollen über den Helden, der am Grabe der Geliebten stirbt (Johann Martin Miller, *Siegwart*), Tränen vergießen können und die schikken Sätzchen der Verliebtheit lernen. Familienväter lassen sich gern über die echten Bürgertugenden belehren (Christian Friedrich Sintenis, *Hallos glücklicher Abend*), und sie lernen an einer kleinen Geistergeschichte ein bekömmliches Gruseln. Diese neue potentielle Käuferschicht, die das Buch der Reflexionen noch nicht lesen kann, schaltet sich mit ihrem Stoffhunger in einen literarischen Marktbetrieb ein, in dem sie selbst noch keine aktive Rolle spielt, aber als kaufkräftiger Geschmacksträger die Mode mitbestimmt, und Mitbestimmung bewegt sich selten auf einer Gipfellinie von geistigen Ansprüchen. Man hat gelernt, für seinen Unterhalt zu sorgen, und will auch unterhalten werden. Der Leser wird Verbraucher. Es ist sozusagen eine erste Wohlstandserscheinung. Der Kleinbürger, der noch nicht mit ästhetischen Ansprüchen liest, hat seinen Roman, wie der Spätbürger, der nicht mehr liest, sein Kino hat. Man hat den Kitsch längst vor der Französischen Revolution gehabt. Unerfüllte Träume gab es immer, mit und ohne Kapitalismus. Die Flucht in diesen kleinen Genuß war kaum eine abgründige Weltangst. Das aufgeklärte Publikum, das noch keine intellektuellen Gelüste hatte, für das Gut und Böse noch richtig beglückende Dinge waren, besitzt aber Emp-

findsamkeiten und Tabus, woraus sich Romane machen lassen. Damit war in der Nachfolge von Richardson und Fielding der Moderoman da, eine Konfektionsware aus Tugend und Prüderie, die mit einer gewissen Verbürgerlichung des Weltbilds – vom Sentimentalischen bis zur Sexwelle – unter den geistig Minderbemittelten für immer ihren Absatz hat.
Das Verhältnis zwischen diesen Büchern und dem Leser wird vom Inhalt her bestimmt, von Tatsachen, die man an den fünf Fingern abzählen kann, von Helden und Heldinnen, die auch im Nebenhaus wohnen könnten. Man will unter sich sein. Der Roman, der noch kaum den Ruf einer Kunstgattung hatte, erlaubt jedes Experiment. Er setzt sich von unten her als belehrender und spannender Inhalt durch. Man freut sich an den schönen Wörtern – Treue, Natur, Mutter, Pflicht, Gott –, die noch keine Schlager waren. Und die Geschichte des Schmalspurbürgers kann ohne die Kenntnis dieser Romane, in denen er sich bestätigt sieht, kaum geschrieben werden.
Die soziologische Analyse der letzten Jahre hat nichts als einen Lesestoff gesehen, der einem wirtschaftlich aufsteigenden Bürgertum entsprach, der aber nicht an ästhetischen Maßstäben gemessen werden wollte, »vor denen er versagen müßte und immer versagen wird.«[2] Es liegt aber nicht im Sinn einer literarischen Aufschlüsselung, nach Genie und Tagesabfall zu trennen. Auch der Trivialroman hat in den Mitteln, mit denen er Information an den Leser weitergibt, ein gewisses Eigengewicht. Jeder Roman, und sei es auch der minderwertigste, ist ein gemachtes sprachliches Gebilde, das zumindest seine Akrobatenartistik hat. Wenn Friedrich Sengle[3] betont, daß wir nicht bei höherer und höchster Dichtung in der Einwertung des Formensystems haltmachen dürfen, daß es auch andere Formen der Publizistik gibt, die literarisch ernst zu nehmen sind, darf man auch vor einer Ästhetik des Trivialen als Gegenstand der Forschung nicht mehr zurückschrecken.
Wesentlich an diesen Büchern, die zerlesen werden, ist die

Tatsache, daß sie den Biedermann der großen Taten und der barocken Weltfahrten entheben, für die er nicht geschaffen ist. Der Trivialroman demokratisiert die Welterfahrung. Er rechnet endgültig ab mit dem Ordogefüge des Barock und beschränkt sich auf Gedankengänge für den gesunden Menschenverstand. Und was könnte für den Aufklärer edler sein? – Der Leser darf mitspielen, Distanz verlieren, mit den Guten fraternisieren und die Bösen verhecheln. Jeder ein Götz (Goethe), ein Haspar a Spada (Cramer), ohne mit der Obrigkeit in Konflikt zu geraten. Die jungen Intellektuellen schöpfen diese Lektüre aus, ohne sich an sie zu verlieren. Sie genießen die Geschichte, und sie genießen den Spott darüber. Anton, der den *Blonden Eckbert* vorliest[4] und das Einleitungsgedicht zum Märchenteil geschrieben hat, weist diesen Romanen in ihrer Art eine therapeutische Wirkung zu. Sie bedeuten »den Genuß sanfter Ironie und gelinder Langeweile«. Sie sind das harmlose Opiat, wie es der Städter nicht mehr entbehren kann: Verführer in großem Format, ansehnliche Greuel, wie Lafontaine sie kennt, »herzliche Abgeschmacktheiten« von Spieß, Heldentiraden von Cramer, Ritter, die trinken dürfen, wann und so viel sie nur wollen, die uns mitreiten lassen bis in den Schlaf hinein. Diese Autoren sind keine Artisten, die sich in Dunkelheiten gefallen, sondern Volk in der Mühle des Polykomikus, die uns das Mehl bereiten für die Milchbrote und Semmeln – »so zart, daß gewiß etliche Dutzend noch dem Magen nicht beschwerlich fallen«.[5]

Wir haben keine Belege dafür, daß das Gelassenheitsideal der *Familie auf Halden* (Lafontaine) oder die Gefühlsskala der *Klara du Plessis* (Lafontaine) die jungen Romantiker wesentlich interessiert hätte. Der verniedlichte Ausdruck der Bürgertugend und die moralischen Haarspaltereien über das Gute und Böse der Gefühle, wie Lafontaine und Cramer sie für Töchter aus sauberer Kinderstube und für den vorbildlichen Familienvater bringen, wenden sich an eine Generation, der die jungen Romantiker selbst nicht mehr angehören. Die Modeautoren, die in den fünfziger Jahren des 18. Jahrhunderts geboren sind, stellen im Familienroman für ihre eigenen Altersgenossen eine Ahnengalerie aus deutscher Biederkeit auf: Hallo (Sintenis), der im Hofdienst grau gewordene Beamte, der Fleiß, Redlichkeit und Gebet obenan stellt, Erasmus Schleicher (Cramer), der als der einzig Rechtschaffene unter einem ehrgeizigen Hofadel sitzt.

Als Vielleser kennen die Romantiker zwar auch die historischen Romane der Benedikte Naubert, die von Veit Weber und Friedrich Christian Schlenkert, die den Biedermann in eine Ritterrüstung stecken und ihm das Herz eines Robespierre einpflanzen. Aber schon Tiecks *Peter Lebrecht* rechnet ab mit den Turnieren und den Großtaten der *schwarzen Brüder* und des *braunen Robert*. Was die jungen Romantiker erregt, natürlich auch übererregt, und ihnen »das Blut durch die Adern jagt«[6], ist der Roman, in dem die Dinge vorkommen, die im aufgeklärten Elternhaus verpönt sind. Diese jungen Leute waren alles andre als einfach. Sie, die sich selbst zu beobachten wissen und aus der Reflexion schon unmittelbaren Genuß ziehen, sind dem Geheimnisvollen und auch dem Lasterhaften zugeneigt, dem Roman, in dem sich Edelmut mit Grausamkeit und das Wunderbare mit dem Makabren mischt, in dem sich neben geträumten Paradiesen auch künstliche Höllen auftun. Sie greifen mit bewußter Wahl nach einer Sonderform des Trivialen, die von Rausch und Gefahr überfließt – nach dem Bundesroman, der vom Symbolgut der Hochgradorden gespeist wird, gepaart mit dem Grauen vor geheimen Agenten und unbekannten Oberen, deren Tätigkeit im 18. Jahrhundert zu neuen Strukturen der Macht geführt hat. Sie sind in allen Städten, wo Unruhe, Gegnerschaft und Revolte war, als Opposition gegen das Autoritäre angetreten. Ob sie nun Reformen oder Verinnerlichung predigten, ob sie zu Erkenntnissen führten oder nur Bauernfang waren – die Bundesromane sind aber durchwegs eine Angelegenheit der gebildeten Kreise geblieben.

Es wäre falsch, Leser und Leser zu einer Leserschicht zu addieren. Das unterschwellige Schrifttum der Bundesromane ist kein naives Lesererlebnis, in dem die sozialen Wünsche einer Gesellschaft, die auf Sicherheit und Behagen aus ist, befriedigt werden. Das tut der Familienroman. Der Bundesroman kommt nicht aus einem Freimaurertum von aufgeklärten und humanen Absichten, sondern aus dem Manierismus der Hochgradorden. Templer, Rosenkreuzer, Illuminaten erfassen Höfe und Universitäten. Faszinierende Namen wie Cagliostro und Saint-Germain werden durch ganz Europa weitergegeben, bis herab auf den Leipziger Kaffeewirt Schrepfer, den Magier der kleinen Vorstadt. Nicht jeder nennt sie Betrüger. Nicht jeder sieht im Akrobaten den arbeitsscheuen Spieler um Leben und Tod. Der Bundesroman, in dem sich der Aufruhr dieser waghalsigen Umtriebe niederschlägt, rückt an die Intellektuellen der Stadt heran mit exklusiven und okkulten Inhalten, die nicht mehr beim Meister vom Stuhl enden, sondern beim Magier, in dessen Hände die Rätsel unseres Daseins gelegt sind. In diesen Romanen, die nicht darauf aus waren, das Bildungsniveau der unteren Schichten zu heben, die aber für Eingeweihte esoterische Bedeutung hatten, lag schon ein ungeheurer Schatz an Ereignissen, die kaum gesichtet waren, ein Wildwuchs der Blumen des Bösen, Labyrinthe und Schatten, in denen sich die Umwelt verfremdet. Von diesem Standpunkt aus kommt dem Bundesroman im Rahmen der Trivialliteratur eine singuläre Bedeutung zu, die keine andere Art der Modeliteratur erreicht hat.[7] Er spricht die ungewöhnliche Erregbarkeit einer intellektuellen Jugend an, die eingeweiht werden will in das Risiko des Gewittrigen hinter dem Erbaulichen einer Familienordnung. Das Versöhnliche einer liberalen Gelassenheit liegt ihr schon fern. Selbst die Tränen und das Rasen, das

in der frühen Produktion der Romantiker aufscheint, kommt nicht aus einem krankhaften Überschwang, sondern ist Chiffre für das Abwegige und Unbedachte, in dem ein oft nur hausbackener Inhalt hemmungslos überspielt wird.
Daß die Romantiker nur scheinbar ein paar Motive übernommen hätten[8], trifft nicht zu. Sie sind hellhörig für eine Welterfahrung, die in diesen Romanen zwischen Wunder und Verbrechen durchbricht. Im Bundesroman steckt eine Elementenmenge, die lockt, die für sie aber auch schon mehr als Inhalt ist. Sie befriedigt weniger ein Unterhaltungsbedürfnis simpler Leser als das Spannungsbedürfnis der Intellektuellen. Sie appelliert an einen anderen Geschmacksträger als der Familienroman. Sie wendet sich an eine gehobene Leserschicht, der es um ein Kosten von Erkenntnissen geht. Schon diese Tatsache hätte uns davor bewahren müssen, den Bundesroman auf eine Stufe mit dem modischen Massenkonsum von Familiengeschichten zu stellen. Hier liegt überdies das Geheimnis von etwas auffallend Gemachtem vor, dessen sich eine Jugend mit der Neigung zu formalistischen Spielen auch bemächtigen will. Aus dem Briefwechsel von Tieck und Wackenroder geht immer wieder hervor, wie sehr Struktur, Stil und Charaktere – das Gemachte – an diesen Büchern sie anziehen. Es sind die Bücher, die erhitzen. Wer das vermeiden will, meint E.T.A. Hoffmann, der lese »Lafontainesche Romane, Iffland-Komödien, Verse dichterischer Frauen, wie sie in allen Taschenbüchern und Romanen stehen«.[9] Hier sind Grenzen festzustellen, die den Bundesroman deutlich gegen die stillen Wasser des Familienromans und des moralisch-didaktischen Romans absetzen.

## Schülerarbeiten

Im Vorwort zu Band XI (33) seiner Schriften hat Ludwig Tieck eine sehr aufschlußreiche Bemerkung gemacht. Es habe ihn immer gereizt, »sich in einer Manier selbst vernehmen zu lassen«. Schreiben ist also ein experimentelles und reflexives Verfahren, das noch längst nicht auf den Heiligenschein des Poeten aus ist. Das Experiment an sich erregt, und das Erregende bewegt die Welt.
Von da aus ergibt sich eine andere Sicht auf Tiecks frühe literarische Versuche, auf *Alla-Moddin, Almansur, Ryno, Abdallah,* die von seinen Freunden schon ernst genommen wurden. Sie betrachteten diese Etüden und Kompositionen, die in einer ungewöhnlichen Sprache geschrieben waren, als Lektüre »für den höheren Menschen, der Bildung suche und schon besitze«.[10] Die Schülerarbeiten sind in ihrer Art Variationen zu vorhandenen Themen, denen der Autor das Verzerrte und Verzeichnete der Formen abzuhorchen versucht, ohne nach dem sozialen Nutzen des Schreibens zu fragen. Es ist keine Darstellung echter Vorgänge, die an den Schuljungen auch nicht herangetreten waren. Es fehlt selbstredend an den Wahrheiten, in denen der Leser das Honorige von Überzeugungen suchen dürfte. Es sind Versuche, aus Gemachtem Neues zu machen, in einen beschriebenen Raum wieder hineinzuschreiben, um dem Geheimnis des Schreibens auf die Spur zu kommen. Die Freude am Schreiben, die man hatte, ist ein Reflex der Freude am Lesen. Der Hang, sich eine *maniera* – einen Stil, Stilmöglichkeiten – anzueignen, erfließt aus dem Wunsch, von der Umwelt Besitz zu ergreifen. Tieck hat früh auf der Bühne gestanden und weiß, was ein Publikum ist. Er selbst definiert

die Neigung zu experimentieren als den Reiz, »das Unbedeutende, Verkehrte und Richtige mit Aufmerksamkeit zu betrachten, darüber hin und her zu denken, wie es anders gestellt, geändert, verkürzt und vermehrt etwas Besseres werden könnte«.[11] Es beschäftigt ihn, wie Dinge geformt und verformt werden könnten. Erst im Nachzeichnen und Aneignen entdeckt man sich selbst. Diese Schülerarbeiten sind kein Produkt einer Reife, das schon die Runden nehmen könnte, sondern ein Frühstadium des romantischen Zeichensuchens, das dem *Blonden Eckbert* und dem *Liebeszauber* notwendig vorausgeht. Diese Jugend ist verliebter in Spiele und Masken als in Familienbindungen und Mädchen. Sie ist bewegt vom Schatten eines Denkmals, von grotesken Marionetten, von den Geschichten der Mutter, von einem Paul Gerhardtschen Vers[12], von all den Dingen, die sie noch nicht benennen kann. Es ist weniger das »muß ich schreiben« als das »will ich schreiben«. Man will Worte haben und sprechen können. Daraus ergeben sich keine Inhalte auf Erlebnisebene, aber Produkte einer Sensitivität, die schon das Gewagte des Machens für sich in Anspruch nimmt und mit den Zeichen einer persönlichen Handschrift zu experimentieren beginnt. Die jungen Romantiker hatten die gefährliche Gabe, mit imaginären Dingen umzugehen und im Aufschreiben von sichtbaren Unwirklichkeiten die wesentliche Aufgabe der Kunst zu sehen. Und gerade auf diesem aufgelockerten Boden konnte der Bundesroman mit seinem Gemisch an Geheimnis und Groteske wirksam werden. Die Manier des Schreibens bleibt zu erforschen.

Abgesehen von *Ryno,* den Rudolf Köpke erst aus dem Nachlaß veröffentlichte, hat Tieck selbst, mit der Bitte um Nachsicht, literarische Arbeiten aus seiner Schüler- und Studentenzeit in den achten Band der Schriften aufgenommen, diesen Band dem Prediger Kadach in Ziebingen gewidmet und hat ihnen damit einen gewissen Wert zugesprochen, den wir noch in keiner Weise honoriert haben. Manche Schlagzeilen der Kritik gehen auf Köpke zurück, der wie je-

der Eckermann mehr um das Image des Dichters bemüht war denn um die Stichhaltigkeit nackter Tatsachen. Aber wesentlich mehr ins Gewicht fällt der Einsatz von Rudolf Haym, der in seinem Standardwerk *Die romantische Schule*[13] von »einer Krankheit der Seele« ausgeht, die »seiner (Tiecks) Phantasie den Stoff aufnötigte«. Unsere Einwertung der Romantik hat in diesen Schriften Fehlleistungen gesehen, die bestenfalls aus den dekadenten Neigungen einer Stadtjugend zu verstehen wären. Von Rudolf Haym an bis Edwin H. Zeydel haben nur die *Sommernacht* (1789) und das *Reh* (1790) – Dichtungen eines Sechzehnjährigen – als Huldigung für Shakespeare eine gewisse Beachtung gefunden. Haym meint unter Vorbehalt, daß Deutschland an einem solchen Talent »trotz aller Shakespeare Verehrung allenfalls einen Stimmungs- und Farbenpoeten gewinnen kann«. *Almansur* wird als »fadenscheinige Fiktion« und »ordinäre Naturmalerei« abgetan, als ein Spiel, mit dem sich der Gymnasiast zerstreuen wollte, und das Fortissimo des Entsetzens in *Abdallah* bleibt »ein trostloser Abklatsch gemeiner Unterhaltungsliteratur«.[14] Korff und Benz übergehen diese Schülerarbeiten, mit denen sie den Dichter nicht belasten möchten, und Gundolf, für den Tieck an sich einen schlechten Geruch hatte, hat alle Publikationen vor dem *William Lovell* als Bockmist abgeschrieben.
Man hat mit psychologischen und biographischen Argumenten angesetzt und hat im Makabren dieser jungen Autoren psychosegesättigte Jahre sehen wollen. Man hat von Enttäuschungen durch Mitschüler und Lehrer gesprochen – welche Jugend hätte sie nicht? Man hat die religiöse Unsicherheit dieses Jahrgangs, die politischen Knalleffekte, die in die Lektüre von Goethes *Faust*-Fragment mitten hineinknattern, für die Verderbtheit der Jugend verantwortlich gemacht. Die empfundene und auch gespielte Melancholie einer Jugend, die viel zu fragen hatte, ist als »Weltüberdruß« zu buchstäblich genommen worden. Sie überdeckt das Lustlose des Aufwachsens neben aufgeklärten Lehrern, wäh-

rend man selbst schon zwischen Besessenheit und Manier zum Literaten heranwächst. Diese jungen Menschen, auf die noch überall ein Feldzug wartete, waren aber robuster als ihr Ruf. Ein Bursche wie Tieck reitet, ficht, scheut auch vor einem Fußmarsch nach Frankfurt nicht zurück, um einen sterbenden Schulfreund zu sehen. Ein Arbeitstag in Halle sieht so aus: »Ich stehe nach 4 Uhr, oft nach 5 Uhr erst auf, die Aufwärterin bringt den Kaffee, der Friseur frisiert mich, ich ziehe mich an und höre 6–7 empirische Psychologie bei Jakob, 7–8 Exegese bei Knapp, dann von 9–10 Logik bei Jakob und von 2–3 nachmittags römische Antiquitäten bei Wolf... dann gehe ich zu Reichardts oder gehe spazzieren, oder lese, oder tue nichts, oder bin krank so wie in Berlin, Gesellschaft fehlt mir fast immer, und doch habe ich ihrer immer noch zu viel und zu oft.«[15] Von einem Schwächezustand bei den Vorbereitungen zu einem Ball bei Reichardt auf Giebichenstein erholt er sich mit einer Roßkur. »Ich lief in der größten Sonnenhitze«, schreibt er an Wackenroder, »so stark ich nur konnte, nach der Stadt, trank hier schnell recht starken Kaffee und lief dann in der brennenden Hitze wieder zurück.«[16] Sie alle kommen aus sparsamen Familien, die ihnen den Sinn für die Sparsamkeit eines Lebenshaushalts nicht mitgegeben haben. Sie entwachsen rasch dem Elternhaus. Sie wollen sehen und hören, sind zusammen vergnügt und traurig, nie um Einfälle verlegen und verliebt in das Experiment von Briefen, die unterschrieben werden – »dein ewiger Freund«. Sie haben jede verbotene Lektüre gekannt, von Schillers *Räubern* angefangen bis zu Zschokkes *Abällino*. Und alles Gelesene wird Anregung zum Machen von Eigenem. Es wird nicht erfunden, aber in artifiziellen Versuchen wird ein Stoff verformt, über den man noch kein Eigentumsrecht hat. Der Erzähler als solcher ist mit sich beschäftigt und nicht mit dem Leser. Episoden werden zurechtgebastelt aus Buchstaben und Wörtern, die man sich mit dem Sinn für das Seltsame und Überraschende angeeignet hat.

E. H. Zeydel[17] sieht in Tiecks Früharbeiten den Durchbruch einer Begabung, die mißbraucht wird. In diesem »abuse of gifts«, den Zeydel zu beobachten glaubt, liegt der Zwang, mit Bildern und Zeichen zu hantieren, um einen eigenen Formenschatz zu erwerben. Es gilt, durch Ängste, Pathos und Ironie hindurch den schweren Übergang in das Erwachsensein von artistischen Reflexionen zu finden.
Tieck schrieb mit Leichtigkeit. Seine Generation hatte einen ungewöhnlich frühreifen Zugang zur Sprache und, nicht zu leugnen, auch den Sinn für das Virtuose. Sie hatte rasch eine vielseitige Geschmacksbildung erfahren, sie ist von jungen Lehrern, die beinahe noch zu ihrem eigenen Jahrgang gehörten, zur Mitarbeit herangezogen und von allem Erregenden in Anspruch genommen worden. Es war ihr kaum erlaubt, Kind zu sein.
Ein literarischer Figuren- und Motivschatz war vorhanden, und sie kennen ihn. Auch Spielregeln sind da. Die Frage bleibt, wie spielt man das Spiel, wie könnte es gespielt werden. Für die Person gilt das vorhandene Typenmuster: autoritäre Väter, böse Despoten, edle Barrikadenkämpfer, treue Freunde, heimtückische Verräter, harmlose Mädchen, die tugendhaft sind aus Prinzip, geborene Bösewichte und Jünglinge ohne Standort. Und diese Helden gab es in beliebiger Ausführung, und es gibt sie noch immer. Auch die weißen und die schwarzen Spielfelder sind gegeben: Treue, Feindschaft, Liebe, Gefahr. Auch der Tugendbegriff, den die Väter als Gesetz vertreten, gehört zu den überlieferten Denkfiguren. Die Napoleonzeit, die den Mann ohne ethische Vorbehalte in die Marschkompanien einstellt, setzt allerdings hinter dieses glatte Gut und Böse einer moralisierenden Ideologie ein Fragezeichen. Dem Mann aus dem Familienroman, *wie er sein sollte* (Christian Friedrich Traugott Voigt), steht der Mensch gegenüber, wie er ist, konfrontiert von Leben und Tod. Auf beiden Seiten geschieht Unrecht. Es gibt nicht einen, der nicht gefehlt hätte. Das Generationenproblem[18], wie es auch der Trivialroman

kennt, verschiebt sich merklich zu einer Revision der Tabus. Dürfen Väter Töchter und Söhne nach Vernunftgründen paaren? Müssen Söhne in die Fußstapfen der Väter treten? Haben sie denselben Gott? Ist die Geliebte ein sicherer Besitz? Es werden Fragen ausgesprochen, die nicht zum erstenmal gedacht, aber mit Angriffslust gesagt werden. Alle Revolutionäre sind Nachkommen von Revolutionen, die schon einmal stattgefunden haben. Ohne empfindsame Wertherhaltung entsteht Entfremdung zwischen Umwelt und Autor. Darf man nach Schuld und Unschuld fragen? Nach einer eindeutigen Lösung? Die religiösen Voraussetzungen dafür sind nicht mehr vorhanden. Das Vielsträhnige der Begebenheiten, die Labilität der Resonanz erkennt und verkennt die Menschen, die mit den Disharmonien einer anderen Welthaltung leben müssen.
Die Romantiker greifen mit der Protestlust jeder Jugend nach einem neuen Wort für König, Held, Führer. Mensch, ein Ausdruck aus dem humanen Wortschatz der Aufklärung, der die Größe der Kreatur darstellt, wird Mode. Aber die Biederkeit dieses Worts, das in einer Gesellschaft, die autoritär nach Gut und Böse ordnet, einen höchsten Wert beinhaltet, der Vorrechte von Geburt und Bildung in Frage stellt, genügt nicht mehr. Es braucht den Beigeschmack des Rebellentums, um in der Jugend zu zünden. Der Mensch – das souveräne Individuum – will im Sozialgefüge einer verwalteten Welt sein Anderssein auch anerkannt sehen. Von diesem Standpunkt aus kann von einer befriedigenden Eindeutigkeit in der Haltung der jungen Generation nicht mehr die Rede sein. Die menschliche Existenz ist ein Labyrinth. Die Dolche, die gezückt werden, um den Rivalen zu erledigen, sind aber nicht nur eine strafbare Handlung gegen die Ordnung des Zusammenlebens, vor der jeder Gerechte erschrickt, sondern auch Ausbruch aus der bürgerlichen Gesetzgebung, die aus dem Guten und dem Wahren die schöne Kulisse der Sicherheiten konstruiert hat, die aber schon im Bundesroman vielfach versagt.

Der Verbrecher, der in sich gefährdete Mensch, der vor dem Gericht einer beamteten Welt gefährlich befunden und abgeschafft wird, weckt die Neugierde eines Publikums, das sich durch das juridische Schuldig in seiner eigenen Unschuld doppelt bestätigt sieht. Damit ist aber auch der Markt für das literarische Verbrechen eröffnet, das die Welt reinlich in Sündenböcke und in Tugendbolde teilt, die sich vom Laster unbedingt abwenden. Neben dem Familienroman, der sich im Tageslicht der Ehrbarkeit bewegt, kommen aus der Nachtseite der Gesellschaft Geschichten, die den Leser vor das Makabre des gewöhnlichen Lebens stellen. Sie haben ihre Vorläufer in den Flugblättern, auf denen der geschäftstüchtige Kaplan Paul Lorraine Geständnisse und letzte Worte berühmter Verbrecher aus dem Londoner Gefängnis Newgate vertrieb. In urbanerer Form hat François Gayot de Pitaval ihm bekannte Rechtsfälle als *Causes célèbres et intéressantes* veröffentlicht. Pitaval wird als Lesefutter der eleganten Welt wiederholt übersetzt und ist durch die spätere Kriminalgeschichte Lektüre des breiten Publikums geworden. Kriminalroman und Bundesroman haben ein Gemeinsames in der Häufung von Spannung und Grauen. Sie trennen sich aber im Sensationscharakter des Krimis, der Leseunterhaltung wird, während sich die Trivialität des Bundesromans in ein manieristisches Menschenbild auflöst. In diesem Rahmen faszinieren auch die Biographien von Selbstmördern und Wahnsinnigen, wie sie Christian Heinrich Spieß und August Gottlieb Meißner herausgeben. Friedrich Eberhard Rambach, der Berliner Pädagoge, hat sich in seiner wendigen Art mit der Geschichte vom *bairischen Hiesel* an einer knalligen Sammlung von Gaunergeschichten *Taten und Feinheiten renommierter Kraft- und Kniffgenies* beteiligt, und als ihm der Atem ausging, hat er seinem Schüler Tieck das letzte grausame Kapitel übertragen.

Der Bundesroman verzaubert diesen Pitaval der kleinen Gassen. Aus dem Hintergrund der Geheimnisse tritt der

Emissär der Unterwelten in den Weg des Helden. Gefahr und Verbrechen stehen chiffriert auf allen Wänden geschrieben. Dieser Genius ist nicht, was er scheint. Er hat nicht nur eine Maske, er hat viele Masken. Er ist Führer und Verführer, er ist Dialektiker, er ist jung, er ist alt. Er streut seine Taten mit einer sehr erfahrenen Hand aus. Er spielt dem Helden Geheimschriften in die Hände und füllt seine Träume mit den Visionen des Bösen. Der Täter und die Taten werden interessanter als das Opfer.
Davon sind die Schülerarbeiten Tiecks schon voll zu einer Zeit, in der die Hochflut der Bundesromane noch kaum erschienen war. Woher dieser Zwang? Da ist eine persönliche Bereitschaft für den mehrdeutigen Menschen vorhanden, ein Behext- und ein Besessensein von dem Menschen ohne Zuhause und ohne Hang zur Einfachheit des Lebens. Die üblichen Wertbestimmungen reichen nicht mehr aus. Man zweifelt am gesetzlichen Maß, und die Gewichte werden nachgeeicht. Wer bin ich – diese Kardinalfrage der Romantik, die schon überall aufscheint, ist nicht die Frage der Glücklichen, die nicht fragen, noch die der Gerechten, die an ihr unbestrittenes Grenadiermaß glauben, sondern die Frage des Ironikers, der sich im Protest gegen die Tabus selbst überspielt. Und so schülerhaft die Arbeiten auch sein mögen, sie gehen an dieser Frage, die in kritischen Zeiten von jeder neu auftretenden Generation gefragt wird, nicht vorbei.

Von vielen Entwürfen, die zwischen 1788 und 1790 entstanden sind, sind viele verlorengegangen, und manche sind nur in Notizen auf uns gekommen. Von den wenigen, die veröffentlicht wurden, ist *Alla-Moddin* (1790) nur in einer Abschrift von Wackenroder überliefert, die er mit *Abschied* und einem Lustspiel *Volpone* zusammen in Tiecks Abwesenheit von Berlin einem Verleger übergab. Dieses Drama eines Siebzehnjährigen, das auf Rambachs Anregung hin zustande kam, folgt einer sensationellen Geschichte, die nach Tiecks eigenen Angaben (XI, XVII) im *Teutschen Merkur* stand. Es ist die gewisse zeitgemäße Fabel von einem Insulanerhäuptling von aufgeklärter Seelengröße, von einem intriganten Jesuiten als Dunkelmann und Gegenspieler und von einem spanischen Granden, der dem lasterhaften Europa absagt für ein Inselreich von herzensreinen Menschen. Mensch – das Modewort der Aufklärung, die landschaftliche Ferne, deutlich etiquettierte Figuren der Literatur »erhitzen die Phantasie« des jungen Autors, so wie es die Schlagzeilen auf der ersten Seite einer Zeitung bis heute tun. Gute und glückliche Menschen waren ein philanthropisches Ideal der Aufklärung, das seit dem Erscheinen von Johann Heinrich Pestalozzis *Lienhard und Gertrud* (1781/1787) und Sintenis' *Hallos glücklicher Abend* (1783) mehr als populär geworden war. Die Forderung von gesellschaftlichen Glückszuständen, die der Verstand als gut und nützlich erkennt, ergibt einen überzeugenden Lesestoff für ein politisch erwachendes Bürgertum. Von einer persönlichen Angriffslust auf die katholische Kirche als Institution des Formalismus und des Wunderglaubens, wie sie schon in den Romanen von Johann Timotheus Hermes *(Für Töchter edler Herkunft* 1787/90) stand, kann bei Tieck keine Rede sein. Aber das Fragezeichen hinter einem dogmatischen Europa, das vom Inselmenschentum einer nicht beamteten Welt überflügelt wird, gefällt jeder skeptischen Jugend und ist auch eine Geschichte, die in der Zeit der Jesuitenriecherei jeden Hausvater ansprechen mußte, der sein eingefleischtes Mißtrauen gegen die Machtorganisationen der Kirche und gegen ein Zeremoniell von spanischer Zucht besaß.

Und doch wäre mehr zu sagen, als daß es um »excessive sentimentality« ginge, um eine »paste board reproduction« von rousseauhaftem und Schillerschem Idealismus.[19] Wo liegen die persönlichen Schriftzüge des jungen Autors? Nicht in der Stoffwahl. Tieck grübelt nicht über Staat und Obrigkeit. Die Fabel ist eine Modeware, die der Nachfrage nach dem Exotischen gerecht wird. Toleranz und Kosmopolitismus sind das Gegebene für die Verstandesrevolte eines bürgerlichen Jahrhunderts, das kryptokatholische Vorgänge als ernstliche Gefährdung des Protestantismus fürchtet. An sich war der Stoff kein Problem, das an den Gymnasiasten ohne politisches *engagé* herangereicht hätte. *Alla-Moddin* ist ein Versuch der Aneignung eines Wirklichkeitsstoffs, mit dem Rambach die latenten Fähigkeiten seines Schülers zu produktiver Arbeit herausholen wollte.

Tieck zerschlägt die Fabel in drei Akte, naturgemäß mit dem Schwergewicht auf den politischen Intrigen im zweiten Akt. Sie werden im ersten angedreht, verdicken sich im zweiten zu Kerker, Ketten und Giftbecher und rinnen im dritten Akt mit der Ermordung des Jesuiten aus. Die Guten und die Schlechten werden als schwarz und weiß aufgestellt. Dergleichen ist in jeder Literatur schon dagewesen. Man kennt das Subalterne von Richtern und Sekretären, die Lasterhaftigkeit der Mönche, die urwüchsige Humanität der Barbaren, der man ohne weiteres noch ein paar Glanzlichter aufsetzen darf. Aktion und Gegenaktion folgen korrekterweise aufeinander, obwohl die Handlung weder zu »Sturm und Drang«-Leidenschaften gesteigert wird noch aus reiner Aufklärersittlichkeit gemacht ist. Die Nähe der französischen Barrikaden gibt der europäischen Gewalthandlung und dem humanen Insulanerprotest automatisch ein aufreizendes Profil.

Und doch wäre es falsch, darin die Handschrift des Autors zu suchen. Bewältigt wird der Stoff durch ein lyrisches Element, durch die Lieder von Lini, dem Insulanerkind. Mit seinem Frühlingslied und dem singenden Vogel beginnt der erste Akt, mit der Laute endet der zweite, und mit dem Lied an das Morgenrot klingt der dritte Akt aus. Das Lied der Mutter – eine Frauenstimme, die eine Oktave tiefer liegt – nimmt am Ende des ersten Akts das Lied des Kindes als Hoffnungsschrei wieder auf, und die Hornsignale am Anfang des dritten und das Schlachtenlied am Ende vermännlichen die Tonlage der Stimmen. Diese Lieder beruhen auf Zeichen von entfernten Wirklichkeiten: purpurne Blümchen, ein Kahn und bunte Ruder, Lotosblätter, der Duft eines Gartens. Eine Knaben- und eine Frauenstimme setzen mit Blühen und Lächeln ein, mit dem Morgenrot über der Finsternis (XI, 275, 301, 350), und Männerstimmen mischen den Purpur der Wunden hinein (XI, 358). Eine politische Handlung, aus den Greueln einer Pressereportage gemacht, wird musikalisch interpunktiert, vokalisch in Höhen und Tiefen geschaukelt und könnte in dieser Vergitterung der Stimmen als Fabel gelesen werden. Die Stimmen von Kind, Frau und Mann intensivieren eine kleine Insellandschaft zu einem künstlichen Paradies.

Zu ahnen, daß wir aus der Vorstellung von Paradiesen leben, daß die aus dem göttlichen Paradies Vertriebenen ihre eigenen haben, verrät den persönlichen Unterton aus der artistischen Anlage der Tieckgeneration. In das unkindliche Gespräch von Lini mit Amelni (XI, 323 f.) verlegt Tieck sein frühreifes Gespür für die Paradiese, die wir selber machen. Die Mutter bestickt mit Goldfäden eine schwarze

Leibbinde. Das Kind bewundert, »wie ein Goldfaden sich neben den anderen freundschaftlich hinschmiegt, wie hier ein Stern und dort einer hervortritt«. In ihm steigt eine romantische Überlegung auf: »Wie mußt du dich erst freuen, wenn du dir bei jedem neuen Stern sagen kannst, das habe ich getan! Es ist doch schön so künstlich zu sein!« Und diesem gemachten Stern aus der Perfektion der Goldfäden steht der Stern im Märchen des Vaters gegenüber, der in seiner Naturwahrheit nicht erlöst. Darin sagt sich eine Generation an, die in der Kunstwahrheit neben der Naturwahrheit ein zweites Paradies erkennt.
Noch aus demselben Jahr stammt *Almansur*, eine knappe Erzählung von 17 Seiten, die erst in den *Nesseln* von Falkenhain (August Ferdinand Bernhardi) 1798 im Druck erschien. Es wird ohne Unterbrechung erzählt, gelegentlich in Dialog aufgelockert, beginnt mit dem Schmerzlichen einer Abendstimmung und endet mit der Entspannung des Abends. Auch *Almansur* ist ein Experiment nach bekannten Klischees. Der Dialog verläuft zwischen Jüngling und Greis im Überschaubaren eines kleinen Gärtchens, vor einer Kulisse von fast rousseauhafter Naivität.

> Der Mond stand über einem finsteren Tannenhain, ein kleiner Wasserfall rauschte, die großen Wälder sangen der Natur ihr Abendlied, der Tag eilte in sein Rosenbett hinab, das Heimchen zirpte, der Mond schien aus dem goldnen See zu trinken, und auf jedem leichten Wölkchen des Himmels, das unter dem Monde hinwegschlüpfte und ihm etwas von seinem goldenen Glanze stahl, schien Ruhe, Trost und Freude zu schweben. (VIII, 262)

Das Gespräch dreht sich um ein altes rechtschaffenes Thema: das ungenügsame Getümmel der Welt und das genügsame Gleichmaß der Natur. Die Frage heißt aber nicht mehr: Ist ein wohltemperiertes Vergnügen die Bestimmung des Menschen?, sondern: Was ist Glück?
Die Frage nach der Steigerung des Lebens, das sich in Kontrasten und Paradoxien bewegt, kann kaum in einer Idylle

beantwortet werden, zumindest nicht unter gewohnten Voraussetzungen. Antworten werden im Widerspruch zur Idylle in ein Märchen aufgefächert, das der Einsiedler seinem Gast erzählt. Es ist ein Märchen nur insofern, als ein zeitliches und räumliches Nebeneinander möglich ist und die Logik von Rede und Geste aufgehoben scheint, was ein von Figuren gänzlich überfülltes Bildchen ergibt. Es bleibt bei der Häufung widerspruchsvoller Inhalte, die aber keine rationale Erklärung brauchen. Lachende und Weinende, Wahnsinnige und Kluge suchen das Glück in der Macht, im Besitz, im Ruhm, im Essen, und nur die Toren finden es in der Vorstellung. Das Märchen endet unmärchenhaft mit einer sittlichen Forderung der Aufklärung. Die Aufgabe des Menschen ist, in der Gesellschaft zu leben und andere glücklich zu machen. Für Leser aus dem Berlin Nicolais darf eine Lösung nicht mehr in einer barocken Weltflucht erfolgen, sondern muß in der Einstellung auf die Moralbegriffe und die Öffentlichkeit des bürgerlichen Lebens geschehen. Aber am Schluß dieses hausbackenen Märchens steht schon die Frage, die der blonde Eckbert am Ende seiner Irrfahrten mit steigendem Befremden fragt – »wach ich oder träum ich?« (VIII, 274).

Glück soll definiert werden. Damit ist eine Frage angeschnitten, in deren Behandlung der Glaube an das Pastorale schon fehlt. Was Almansur fragt, kommt aus einer mißvergnügten Seele, die sich mit Empfindsamkeit und Mäßigung nicht begnügen will. Jüngling und Greis sind aus der Gesellschaft Verstoßene: der Freund tot, die Geliebte untreu. Das sind Wörter, die den Erwachsenen gehören und nur geliehen sind. Das Ergebnis ist fürs erste der Besitz verbrauchter Wörter, die erst wieder sinngesättigt werden müssen. Der Gymnasiast versucht Erfahrungen vorauszunehmen und den Mechanismus von Theatereffekten zu beherrschen, ehe der Vorgang selbst für ihn schon einen Wirklichkeitswert hätte. Tieck intellektualisiert das Ende der Erzählung und stellt der sittlichen Aufgabe der

Eingliederung den Anspruch auf persönliches Glück gegenüber. Jüngling und Greis schaffen in ihren Grübeleien die Einsiedelei zu einem zweiten Paradies um, in das sie ihre Reflexionen, Luftschlösser und Märchen pflanzen und jedem weltgierigen Wanderer die Fahrstraße weisen wollen. Die beiden Männer tauschen Ich, Du und Wir gegeneinander aus:

> Beide bewundern wir nun den Aufgang der Sonne, wir beide sehn ihrem Scheiden nach, du hilfst mir Blumen in meinem Gärtchen pflanzen, du begießest sie mit mir am Abend, du brichst mit mir das Obst von den Zweigen . . . wir träumen uns unser Leben nach dem Tode, bauen luftige Schlösser und reißen sie wieder ein. (VIII, 277/78)

Rudolf Haym hat an dieser Idylle das Erbauliche vermißt, das sie schon in der Fragestellung nicht hat. Tieck hat eine gewisse Radikalisierung der Form versucht, womit er eine gefällige Routine-Chiffrierung zu überspielen versucht: Die Rousseaukulisse bekommt den Zeichencharakter der Paradiese und der Einsiedler ein unruhiges Herz.

Das Jahr darauf zieht Rambach seinen Schüler zur Mitarbeit an seinen eigenen Plänen heran. Tieck fertigt, ohne innere Teilnahme, die Geschichte vom *baierischen Hiesel* aus, mit der sich Rambach an den *Taten und Feinheiten renommierter Kraft- und Kniffgenies* beteiligte, und er schreibt mit *Ryno* das letzte Kapitel zur *Eisernen Maske,* die 1792 unter dem Decknamen Ottokar Sturm herauskam. Es wäre falsch, diese Erfolgsbücher nur als Kitsch und Lohnschreiberei zu betrachten. Es war Rambachs Lehrergeschick, daß er in den Schülern, die hören wollten, die Bewunderung für Wörter, Sätze und Verse weckte. Für Tieck wurde die Mitarbeit an den Romanen des Lehrers ein Vorstoß in das Undurchsichtige ungewöhnlicher Existenzen. Und er war nicht der einzige, der Rambach aufgeschlossen gegenüberstand. Bernhardi und Wackenroder[20] haben vor allem in Rambachs *Syrakusanern* eine Vollendung des Stils und »Würde und Wahrheit« der Gedanken gesehen, die sie unmittelbar ansprach. Rambach war für die Schüler, welche die Konventionen des Gymnasialunterrichts schon belächelten, der moderne Lehrer, der ihnen mit dem Zugang zur zeitgenössischen Literatur »eine ästhetische«, wie Haym[21] sagt, »der Schuldisziplin zum Trotz getriebene Schwelgerei« eröffnete. Er war einer von denen, die eine eigenständige Tätigkeit des Schülers nicht nur dulden, sondern suchen und fördern. Auf zwei Dinge konnte er bei Tieck rechnen: Reichtum an Einfällen und Gabe des Formens.

Aus dem Briefwechsel mit Wackenroder geht hervor, daß Tiecks Mitarbeit geheimgehalten wurde und Rambach auch das Kapitel *Ryno* für sich in Anspruch nahm. Das spricht schon für die eigene Handschrift des Schülers, deren man sich selbst nicht mehr zu schämen brauchte. *Ryno* ist eine *terribilità*, für die man aber Grosses *Genius* nicht verantwortlich machen darf[22], weil dieser Roman erst 1792 in Tiecks Hände kam. Ryno ist kein Alexander, kein Arminius, kein Barbarossa, der ein historisches Ansehen mitbrächte. Es geht nur um die Selbstgespräche eines Mörders, der vor seinem Ende steht. Er wertet ein Leben von Genuß und Gefahren in Reflexionen aus. Er spricht nur noch zu sich selbst. Was ist gut? Was ist böse? Was ist klein? Was ist groß? Ist der Mensch ein moralisches Wesen, ein spekulierendes? Damit setzt die Verwunderung über das Autoritäre unserer Maßstäbe ein. Tieck beginnt in Reflexionen die Unschuld des Denkens zu verlieren, und wenn wir wissend werden, sind die Gegenstände nicht mehr nur Tisch und Stuhl. Alle Fragen verdichten sich zu einer neuen Frage – wer bin ich? Der große Bösewicht, ein Mörder, wie die Mitwelt sagt, vielleicht aber ein Rebell, ein Machtmensch – ein Gott? Der Verbrecher wird zum Spieler mit Leben und Tod, der alle Sicherheiten des Daseins restlos auf die letzte Karte setzt.

Es überfällt Ryno die Furcht vor dem Tod, vor dem Ende

des Spiels. Die antiklassische Welt war voll von Todesbildern, von Skeletten und Verwesungsgrauen, vom Wüten der Shakespeareschen Königsdramen, die Tieck noch kaum kannte, das aber auch in der trivialen Greuelliteratur, die man kannte, gang und gäbe war.
Die Reflexion setzt noch einmal ein. Soll man tugendhaft und bieder sein? Stirbt es sich leichter? Rynos Antwort bleibt eine Absage an alle Tabus. Und dann folgt er dem Geiste Duncans auf die Spitze des Felsens, von dem aus er in den Abgrund tritt.

> Jetzt stand er auf der Spitze des Felsens, der die ganze umliegende Gegend übersah. Er blickte nach der Burg zurück, und sah in der schwarzen Steinmasse nur noch ein Fenster erleuchtet, er glaubte in dem Schein aus der Ferne Malwinas Gestalt zu entdecken und erwachte aus seiner Betäubung, um in eine noch tiefere zu versinken. (*Nachgel. Schr.* I, 16)

Hier bricht das Ausdrucksvermögen des jungen Autors schon durch. Die Todeslandschaft, die von der ersten Seite an die Vorstellung beherrscht, wird das Bekannte, von dem aus der Mensch in das Unbekannte eines verwirkten Lebens schaut. Inmitten der gesteigerten Vertikalen der Berge, die aufschießen, gibt es nur im Abgrund noch eine einzige Horizontale, auf die Ryno hinunterblickt – der behagliche Bürgerstolz eines Königs. Als Interpunktion ist die Stimme der Geliebten dreimal eingesetzt, und der Schritt in den Abgrund wird durch die Vision von Malwinas Familienglück beschleunigt – verzögert – wer kann es sagen?
Aus dem Spiel von Vertikale und Horizontale entsteht eine neue Raumstruktur. Zu der Richtung von rechts nach links, wie der idyllische Bach sie nimmt, kommt das Oben und Unten einer drohenden Welt. Der horizontal gezeichnete Raum – das Bekannte unseres Daseins wird aber durch die brennende Fackel aus Licht und Schatten gemacht, nicht mehr aus Gegenständen. Nur Strahlengewebe an der Decke,

Schatten an den Wänden. Farbe und Umriß der Dinge, das Anheimelnde unserer Tage, wie es Almansur noch sucht, ist vorbei. Das Gegenstandslose wird zum unheimlichen Reiz eines Endspiels. Jeder erfährt es, daß alles Dingliche bindet und entsetzt, ehe es zurückgelassen werden muß. Die eigene Stimme wird Ryno schrecklich. Er scheut zurück vor der eigenen Hand. Die Todesstunde ist das Letzte an Entfremdung von einer flach angelegten Welt, in der nur der *Mann, wie er sein sollte* (Chr. F. T. Voigt), bestehen kann. Die Namen der Helden erinnern an ein literarisch bekanntes Buch. Auch hier arbeitet Tieck nicht mit Erfindung, sondern mit dem Verformen von Bekanntem, aber nicht ohne die Sicherheit einer gewissen Linienführung, die er durch Tasten und Kosten erworben hat. Eine Ossiangeschichte wird zu Ende gedacht als die letzten Stunden eines saturnisch angelegten Mannes, die nicht an einem sanften Gesetz gemessen werden dürfen. Tieck benutzt das ganze Esperanto des Grauens und der Verfremdung, der der Mensch ausgeliefert ist. Er steigert die Gestalt Rynos, des manieristischen Helden, die aus Widersprüchen gemacht ist, zur Mehrdeutigkeit von Anziehung und Abstoßung. Hier ist die Aufgeschlossenheit für die *meraviglia* und die *terribilità* des Lebens schon deutlich vorhanden. Das Gespür für eine manieristische Todesschönheit bricht durch, eine kleine Liebe für den Abgrund, für den Intellekt, für die Verfremdung des Bekannten ins Unbekannte. Mit 19 Jahren wird dergleichen nicht ohne ein Furioso geschrieben. Dahinter Krankheit zu suchen ist überflüssig.[23]

Dem Kapitel *Ryno* folgt 1792 (veröffentlicht 1795) *Abdallah* als letzte Erzählung in der Reihe der Schülerarbeiten, die von Freunden schon als Dichtung eingeschätzt wird. Das Buch steht in einer unruhigen Nachbarschaft. Gleichzeitig mit *Abdallah* erscheinen Klingers *Fausts Leben, Taten und Höllenfahrten*, Spieß' *Petermännchen*, eine Geistergeschichte aus dem 13. Jahrhundert, Schikaneders *Zauberflöte*. Tieck steht als jüngster unter ihnen. Die Kritik hat vor allem von einem orientalischen Kolorit gesprochen, das man aufgrund von Köpkes Angaben[24] auf *Tausend und eine Nacht* und auf Reisebeschreibungen zurückführen wollte. Köpke sieht die Dinge aus der Sicht von Tiecks letzten Jahren und mißversteht den Experimentalcharakter der Landschaft. Tieck setzt das Spiel mit dem Befremdenden des Raums fort, wechselt von einer Ossianlandschaft zu Sultansgärten über und stellt seine Figuren auf neuen Spielfeldern auf. Die Kritik war getäuscht durch eine Stadt, die Bagdad hieß, durch die Tatsache, daß man durch Arabien und Persien reist und beim Barte des Propheten schwört. Dieses Orientalische von Palmen, Moscheen und Sultansgärten, das Tieck überall aufgelesen haben konnte, das vor allem der Bundesroman als den Raum der Geheimnisse wählt, ist, ohne geographisch korrekt zu sein, für den jungen Autor nichts als ein gebrauchsfertiger Apparat, dessen er sich versuchsweise bedient. Dieser importierte Osten, der Schein bleibt, ist eine Literaturschablone, die sich letzten Endes aber auch auf Namen und Titel der Helden beschränkt. Die Sultane heißen Selim und Ali, die Mädchen Roxane und Zulma, die Liebhaber Raschid und Abdallah, die Städte Bagdad. Es bleibt bei einem Wandern durch einen Wald von Wörtern aus der Belesenheit des Gymnasiasten. Hier stehen einfach die Schlüsselwörter eines Landschaftsmodells, das von der betulichen Wirklichkeit des Biedermanns abrückt. Es wäre müßig, nach einem Erlebnisinhalt zu fragen. Aber es ist notwendig, nach der Form der Aneignung dieser Inhalte zu suchen, aus der später die persönliche Handschrift der romantischen Märchen hervorgeht. Die Handlung in *Abdallah* ist eine unverkennbare Bundesgeschichte und folgt in ihrem Umriß mit allen Übertreibungen einem erprobten Klischee. Tieck versucht mit Manierismen, wie sie die Trivialliteratur mit sich weiterschleppt, zu hantieren. Da ist Omar, der Emissär Mondals, in dessen Händen die Fäden geheimer Führung zusammenlaufen, da ist sein Gegenspieler Nadir, der Emissär Achmeds, da sind die Grausnächte mit Donner und Blitz, die geheimen Mechanismen, durch die man in die Labyrinthe versinkt, der magische Ring, der nicht mehr vom Finger will, die beschriebenen Palmblätter, die den Helden mitten hinein in die Umtriebe der geheimen Oberen stellen.[25]

In der Nachschrift zu einem Reisebrief an Bernhardi (Erlangen 1793[26]) bittet Tieck, den Text der Erzählung nicht zu ändern: »Ich will das Schlechte auf meine Rechnung nehmen, ich bin, so viel ich mich erinnere, mit dem Stil im Ganzen zufrieden.« Er fügt den Kupferstich bei, den das Buch haben soll, und legt den Titel als *Abdallah oder das furchtbare Opfer* fest. Er schließt sich damit dem Doppelzüngigen der Titel an, wie sie für manieristische Bühnenstücke beliebt waren. Was wir zu erwarten haben, ist die Geschichte eines Täters, vielleicht mehr noch die Geschichte einer Tat.

Die Anlage in drei Teilen zu je zehn Kapiteln hat bereits eine sicher gesteuerte Strenge der Struktur. Die Handlung Omar/Nadir – Bund und Gegenbund – strahlt vom zweiten Kapitel des ersten Teils an in einer absinkenden Lichtbrechung über den ganzen zweiten Teil aus, mit genau gesetzten Knotenpunkten in Kapitel drei und sieben und endet im dritten Teil mit Kapitel acht und neun. Aus dieser Linienführung erhellt, daß Bund und Gegenbund von Mondal und Achmed die leitenden Faktoren sind, in die die Gegnerschaft von Selim und Ali als politischer Bund und Gegenbund nur eingelegt sind. Das Liebeserlebnis, das in keiner Weise erotisch gelebt wird, zusammen mit dem Fluch des Vaters, ergibt den emotionellen Zündstoff. Jeder Teil der Erzählung sinkt mit dem achten Kapitel in Labyrinthe und Schockerlebnisse ab und endet im zehnten mit dem Vatermordmotiv, das die geheimnisvollen Vorgänge mit dem Namen eines Verbrechens belegt, das für die Umwelt unfaßbar bleibt. Kühl besehen, bricht die Fabel in eine Kriminalgeschichte aus. Wir haben eine Tat, ein Opfer, ein Motiv, einen Täter. Interessant ist der Täter und nicht die

Entdeckung der Tat, die wir miterlebt haben. Alles konzentriert sich auf die Krise einer Existenz, nicht auf die Arbeit eines findigen Detektivs.

Die Konzeption dieser modischen Fabel geht aber an zwei Stellen unerwartete Wege. Abdallah, der Held, der nicht nur von außen, sondern auch in sich bedroht ist, der vertraut und mißtraut, der liebt und haßt, der aus Widerspruch und Eifersucht handelt, geht im Verbrechen unter. Der Gute verliert das Spiel. Omar, der Verführer, ist böse und auch gut. Er hilft und verdirbt, und er gewinnt die grausame Wette. Damit gibt Tieck das korrekte Spiel auf schwarzen und weißen Feldern auf. Die Weichen werden umgestellt. Die reinliche Trennung von Gut und Böse, das todsichere Anrecht auf Lohn und Strafe, wie es der Bundesroman noch verlangt, ist beiseite geschoben. Helden und Bösewichte entsprechen nicht mehr den Prinzipien des aufgeklärten Verstandes. Wir leben sozusagen alle jeden Tag hart an möglichen Verbrechen vorbei. »Strafe – Belohnung – Tugend – Laster« (VIII, 9) – wo ist die Scheidewand? Das Zwiespältige bekommt den Schimmer des Interessanten, ein an sich artifizieller Vorgang, aber auch ein neuer. Tieck mag das Gewalttätige von Emotionen nach mancher Richtung hin kleidsam gefunden haben, und vieles davon war noch zu Schau und Rolle bestimmt, in der man gesehen werden möchte. Aber er hält seine Leser auch in Atem, die bestürzt zurückbleiben, wo der Bundesroman, der das Gute belohnt und das Böse bestraft, noch restlos befriedigen konnte.

Verglichen mit der Klangfarbe des Manierismus im Bundesroman, die in den Schockerlebnissen deutlich durchschlägt, liegt der Umbruch bei Tieck in der Wendung zu den Urgebärden des saturnischen Menschen. Wackenroder[27] fand »die philosophischen Hypothesen« Omars meisterhaft dargestellt, obwohl er sie ein »verzehrendes Gift« nennt. Die große Aussprache über Tugend und Laster beginnt schon im zweiten Kapitel des ersten Teils und steigert sich im dritten Kapitel des dritten Teils zur Streitfrage über Rechte und Pflichten von Vater und Sohn. Auf die Frage nach dem Glück, die Almansur noch offen lassen mußte, folgen hier gewagte Dialoge über ein Herrschaftsgebiet der Ethik, das sich begrenzt und brüchig erweist. Grenzstriche beginnen zu fallen. Der Held mit der reinen Seele wird nicht mehr gerettet. In jedem Engel steckt ein potentieller Verbrecher. Omar, der Verführer, wird nicht mehr öffentlich entlarvt und bestraft. Er demaskiert sich hohnlächelnd selbst. Er ist ein Gehetzter mit einem seelischen Zwiespalt, dem vor sich selber graut. Er stellt eine mephistophelische Frage zur Diskussion – was ist gut? was ist böse? Und er gibt die Antwort, auf der die Erzählung beruht: »Wir ahnden nicht, daß es nur eine Kraft ist, die in der Tugend und im Laster lebt, beides *eine* Gestalt, aus demselben Spiegel zurückgeworfen« (VIII, 10). Solche Antworten verrücken Schwerpunkte, und die subjektive Reaktion wird unberechenbar. Beide Figuren, Abdallah und Omar, sind mit den Schockfarben des Lebens bemalt, aber dadurch auch erlebnisfähig über die erbaulichen Grenzen hinaus. Das ergibt Spannungszustände, in denen sich die Bilder durcheinanderschieben, in denen das Mögliche neben dem Wirklichen steht, und selbst Schwarz und Weiß Schatten werfen. Sie leben aus extremen Kontrasten, in scharfen Situationen und unvorhergesehenen Wendungen, bis zum Selbstverlust in Visionen, Mord und Wahnsinn. Mit dem mehrdeutigen Charakter ist die berechenbare Sicherheit des Lebens vorbei. Der Rückweg »zur blühenden Wiese« (VIII, 8) ist verloren.

Es ist eine überraschend schnelle Entwicklung des jungen Autors, die zu diesem Frage- und Antwortspiel führt. Fast gleichzeitig wächst schon der *William Lovell* heran, in dem die Metaphernsprache des *Abdallah*, die nach Wackenroders Meinung[28] dem Leser zuviel zumutet, schon erworbenes Medium ist und Vorgänge aus dem Bundesroman zu den Irrungen und Wirrungen menschlicher Begegnungen aufschließen kann. Ein letzter Schachzug für Abdallah mußte erst gefunden werden. Im Bundesroman stand er nicht. Tieck konnte aber nicht mehr nach dem Grundsatz der Autoritäten bestrafen oder dekorieren. Das Endspiel vollzieht sich vor den Kulissen einer lärmenden Hochzeit, die das Bekannte und von der Gesellschaft Anerkannte ist, um deretwillen die Tat geschieht. Für Abdallah, der das Hochzeitskleid trägt, in das er nicht gehört, wird die Bewegung der Tanzenden nur eine Parade der Automaten, deren Walzwerk angedreht ist.

> Mir ist plötzlich, als sitze ich hier unter todten fremden gemietheten Maschinen, die bestimmt den Kopf drehen und die Lippen öffnen, – sieh doch, wie der abgemessen mit dem hölzernen Schädel nickt, der sich Ali nennt, – ich bin betrogen! – das sind keine Menschen, ich sitze einsam hier unter leblosen Bildern, – ha! nickt nur und hebt die nachgemachten Arme auf, – mich sollt ihr nicht hintergehn! (VIII, 236)

Und wieder kommt wie in *Ryno* die Entfremdung von der beglaubigten Ordnung, was unter Automaten nur Wahnsinn heißen kann. Eine geistige Störung an den Schluß zu setzen, war ein Wagnis, das mißverstanden werden könnte. Tieck baut aber damit eine sehr verletzbare Psyche auf – den Menschen ohne Geborgenheit, der aus dem Schwarz/Weiß der Gesellschaft ausgestoßen ist, der seinen Ängsten überlassen wird, der stürmen will, wo Dienst gefordert wird. Hier reicht aus dem Bundesroman herüber, was auch aus *Hamlet, King Lear, Macbeth* auf diese Jugend zukam: das Kontrastierende, die Fülle der Nuancen, die Selbstzerstörung, der Wahnsinn als eine Form der Verwandlung – das Manieristische als Literaturschutt und als Shakespearesche Überlegenheit eines Spiels mit Grenzsituationen.
Man hat darin eine Art Kunststoff-Romantik mit orientalischem Dessin sehen wollen. Aber das Orientalische der Landschaft, wenn man es so nennen will, ist nur eine Chiffre, die ins Fremde des Raums und in das Befremdende

der Taten ausschwingt, in eine unbekannte Landschaft von Geheimnissen, die bei uns noch nicht eingebürgert sind. Da spielt schon die Ahnung von der fremden Herkunft unserer Taten eine Rolle, was wesentlich ist, wenn man von inneren Zuständen und Vorgängen sprechen will. Das Drama *Alla-Moddin* rollt noch vor zwei sehr einfachen Kulissen ab: das Sonnige von Suhlu, ein rein Gedachtes aus der Vorstellung von Mutter und Kind, und das Wolkige von Manila, mit dem Haß der aufständischen Soldaten gesehen. Beides ist ein Raum ohne Oben und Unten, eine eindimensionale Landschaft, die nur auf ein paar Effekte hin angelegt ist. Lini und Amelni erfinden einen silbernen See mit einem Kahn, einen kleinen Garten, in dem sich rote Blümchen über einen Bach beugen und sich im Spiegel betrachten. Der Rest ist Wind, Duft, Wölkchen – eine rote Landschaft, die sich an jedem sonnigen Tage irgendwo ausbreiten könnte. Manila bleibt schwarz, von Wolken verhangen und von Klippen umstellt. Auch das ist keine gesehene Landschaft, keine neue Dimension, sondern eine kalte Kulisse gegen eine heiße gestellt, was zur Ausstattung des kleinen Dramas genügt.

Diese eindimensionale Landschaft wird in *Almansur* eine ausgebaute Etüde von bescheidenem Tonumfang. Das ist nicht mehr Kulisse für einen Bühnenvorgang, sondern ein emotioneller Garten, der durch ein Additionsverfahren hergestellt wird.

> Im kleinen Gärtchen hinter meiner Hütte scheint die Glut der Rose auf die weiße Lilie, das Veilchen kniet zu den Füßen der stolzen Malve, und jede der Blumen kenn' ich, bei jeder erinnre ich mich im Vorbeigehn, wenn und wie ich sie pflanzte, jede habe ich selbst am Morgen und Abend begossen. (VIII, 265)

Der Garten der Genügsamen entsteht aus dem Sich-Aneignen von geliehenen Elementen: ein schönes Tal, Hügel, Reben, Palmen werden als Versatzstücke aufgestellt, Abendrot und Mond darüber eingeschaltet. Der Himmel flammt, die Waldung rauscht, die Lerche singt, der See bebt. Hauptsatz wird an Hauptsatz gereiht oder durch eine einfache Partikel verbunden.

> Die Berge erhoben sich sanft umher und auf ihnen schimmerten Reben, Palmen standen auf Abhängen und wiegten sich rauschend über das Thal hinab, die ganze Gegend spiegelte sich zitternd im See, und das Abendrot und der aufgehende Voll-Mond gossen ein süßes Licht um alle Gegenstände. (VIII, 261)

Aus diesem Nebeneinander der Sätze entsteht noch kein Satzgefüge und auch kein Landschaftsgefüge, aber Urphänomene werden herausgehoben. Von ihnen ergreift der Mensch Besitz durch das Uhrwerk von einem Wenn und einem Dann. Wenn der Regen herabrauscht, wenn die Fichten knarren, wenn der Wind das Schneegestöber vor sich hertreibt (VIII, 266) – dann entsteht am Rande dieser Reflexionen über den Schrecken des Lebens die Ekstase für ein vorgestelltes Paradies: Dann – hilfst du mir Blumen pflanzen, du begießt sie mit mir, du brichst mit mir das Obst von den Zweigen. Das Du und das Ich werden aufgewertet in einem Wir: Wir erzählen uns . . . wir tauschen Erfahrungen aus . . . wir träumen . . . wir bauen luftige Schlösser und reißen sie wieder ein. Was ist Glück?
Die Landschaft in *Almansur* ist von Gegenständen überfüllt. In sie werden Weiden, Birken, Palmen, Zypressen nebeneinander eingesetzt, Reben, die sich um eine Ulme winden, Rosen, Lilien, Malven, zu deren Füßen Veilchen blühen. Lerchen steigen auf, Nachtigallen singen in der Palme, Schafe blöken, Lämmer hüpfen. Und über allem geht auch das Schneegestöber nieder. Das sind keine seelischen Erfahrungen, nicht einmal Träumereien, die Ausdruck suchten, auch nicht eine erinnerte Landschaft, sondern Grundformen eines Pastorals, in denen das Idyllische durch die Häufung von Zeichen erreicht werden soll. Es entsteht

am Ende eine Musterkarte aller Gegenstände, die den genußreichen Frieden der Provinz ausmachen, ohne ein Glückszustand zu sein.
Das Gemachte dieses naiven Paradieses, in dem Raum und Zeit aufgehoben sind, wird sprachlich durch viele Genitivausdrücke unterstützt: Das Gold des Himmels, die Vögel des Abends, die Glut der Rose – und durch den übertriebenen Gebrauch von Eigenschaftswörtern, die den Bildinhalt etiquettieren, aber auch nicht mehr: das schöne Tal, die grünen Berge, der finstere Tannenhain, der kleine Wasserfall, die großen Wälder. Daraus entsteht ein handlicher Wortschatz, der nach Belieben zu Sätzen zusammengefügt werden kann. Die Landschaft bleibt dabei antinaturalistisch, ein Kunststück aus Fleiß und Überlegenheit, in dem sich Worte einfinden für Vorstellungen, die noch nicht profiliert sind.
Tieck hat diese Erzählung ein Idyll genannt, ein Ausdruck, der Bedenken erregt hat. Was beglaubigt bis zu einem gewissen Grad das Wort Idyll? Es ist das ausgesprochen Horizontale dieser Landschaft, das sich grundsätzlich der Unruhe entzieht, in der sich ein menschliches Dasein ins Unberechenbare entwickeln könnte. Nicht aus den seelischen Inhalten, sondern aus der Struktur des Landschaftsmodells ergibt sich für Tieck das Idyll.
Diese Landschaft aus der Häufung von Zeichen, die wir kennen und wovon jedes einen literarischen Hintergrund hat, ist im *Abdallah* schon wesentlich gekonnter und auch überspitzter. Wellen, See, Wasser, der Spiegel, in dem sich die Gegenstände beschauen und schöner Schein werden, geben der Horizontalen etwas wellig Bewegtes, das über das Beschauliche einer Beschreibung hinausgeht. Die Gegend betrachtet sich im Wasserspiegel, die Stadt spiegelt sich im Strom, der Himmel liegt auf dem Wasser ausgebreitet, aus jedem Tautropfen entsteht ein magisches Glas. Es stellen sich Begleitformen der Horizontalen ein. Das Zeitwort kurbelt an. Ein stiller Wind *wandelt* durch die

Blumen des Ufers, der Mondschein *schlummert* auf den Rosen, aus den Zypressen *steigen* Träume herab, Wolken *wälzen* sich, und Schatten *strecken* sich vor dem Wald hin aus. Bewegung von Wind und Rauch, Licht und Schatten, Farbeneffekte bringen Spiel in die Landschaft, die den kleinen Garten hinter sich läßt. Das Monologische von *Almansur* ist Gespräch geworden, das nicht mehr durch ein Wenn und ein Dann bewegt, sondern durch ein Warum und ein Wozu erregt und durch Frage und Rufzeichen zerrissen wird. Das – wer bin ich – und das – träum ich oder wach ich, das Ryno und Almansur noch ohne Antwort lassen, wird zur Frage nach Sein oder Nichtsein verschnitten.

> Wer ist gut, wer böse? – Soll des Mörders Dolch bestraft werden, oder sein Arm, sein Herz, sein Blut? . . . sein Blut, das er sich nicht selber gab? (VIII, 13)

Fragen, wie sie zwischen Omar und Abdallah hin- und hergehen, kommen aus der Landschaft des Bösen, die untergründig dem Manierismus verbunden ist. Das Abendrot wird flammender, der Fluß purpurn und die Wolkenbilder bedrohlicher. Neben der Taglandschaft tritt die Nachtlandschaft in Aktion. Das muß noch gelernt werden und wird vorerst dick aufgetragen.

> Wolken gossen sich gedrängt und düster von den Bergen herab, in hohen unendlichen Gebirgen aufgewälzt, wie eine dicke gewölbte Mauer hing der schwarze Himmel mit seinen schwankenden Riesenschatten über ihnen, kein Stern sah durch die Hülle, kein Strahl des Mondes zitterte durch die Wolkenwildnis: ein Regen rauschte in den nahen Bäumen, durch den fernen Wald wanderte der Sturm dumpf murrend. (VIII, 58)

Abdallah erlebt daran eine Entfremdung von der Natur, die in ihrer Art neu ist und den Donner der Trivialliteratur virtuos überschreit. Was Almansur am Ende mit Genuß und Gleichmaß entspannte, wird durch die Häufung von

Verfallsattributen und durch das Hintergründige des Grausens durchbrochen. Es beginnen die Gewitterhimmel, wie sie über dem Toledo von Greco standen, die Donner und Stürme, die heulen, ehe der Held Mitwisser des Unbekannten wird. Omar und Nadir lassen Abdallah durch Gewölbe und Labyrinthe gehen, voll von Flammen und Hohngelächter, durch blaues Licht, das grüne Schatten wirft, durch das Ausweglose, das ohne menschlichen Atem ist.

> Ich stieg in die Kluft hinab wie ein Träumender, der laute Donner der zusammenspringenden Felsen weckte mich aus meinem Taumel. – Ich tappte unendliche kalte feuchte Wände hinab, eine fürchterliche Stille ging vor mir her, ich hörte in der entsetzlichsten Einsamkeit nichts als das Wehen meines Athems, der sich die Mauer hinabschleifte und das Dröhnen meiner Tritte . . . Plötzlich kam es mir wie ein Heereszug entgegen mit Trommeten und Paukenwirbeln, wie einem Sieger, der in seiner Heimat empfangen wird. – Donner wälzten sich durch die hallenden Gewölbe, Waldströme stürzten sich rauschend herab, und ein Hohngelächter borst mir von allen Seiten entgegen. (VIII, 68)

Die Landschaft des Bösen, die in ihren groben Zügen aus dem Bundesroman gelernt ist, bekommt aus der Besessenheit des Experiments neue Akzente: die fürchterliche Stille der Labyrinthe, in der der eigene Atem hörbar wird und man kaum aufzutreten wagt, in der eine Einsamkeit gehört werden kann, die erst in den romantischen Märchen in die Zimmer der Menschen eindringt. Als Kontrast dazu die Trompeten und Pauken, Hohngelächter, Flöten und Nachtigallen – ein Ansturm auf das Ohr, der, ehe er der angebetete Schrecken der Städte wird, in der Tanzmusik den Beobachter zum Wahnsinn treibt. Da klingt grob der *Liebeszauber* voraus, den E. T. A. Hoffmann als Meisterstück des Schauderhaften empfand. Alle Schockerlebnisse werden gesammelt, um diese Landschaft des Bösen zu beleben: Leidenschaften, Folter, Mord, Einsamkeit unter mißgestalteten Figuren, die deformierte Spieler in einer Welt ohne Ebenmaß sind. Und über dieser labyrinthischen Tiefe und über dem Geheimnis von Büschen und Sträuchern im Gärtchen beginnen sich die Berge aufzutürmen, in Klippen zerschlagen, baumlos und lautlos – wo am Ende der Welt in einem furchtbaren Schlund Mondal, der Herr des Bösen, lebt. (VIII, 101)

Die eindimensionale Landschaft, die mit einer gewissen Vertraulichkeit um den Einsiedler ausgebreitet lag, erhält im *Abdallah* eine Ausweitung hinunter in die Schrecken der Labyrinthe und hinauf in die Totenstille der Gebirge. Die Labyrinthe unter unseren Füßen und unter den asphaltenen Wegen der Sicherheit verrätseln die kühle Basis des Bekannten ins Gekünstelte der Umwege. Dafür steht Tieck schon ein virtuoser und auch gefährlicher Wortschatz zur Verfügung, der über der bekannten Wiese das Unbekannte der Felsen aufsteigen läßt, die den heißen Aufriß eines kühlen und flachen Raums bestimmen. Aus dem Wasser, das fließt und die Ufer begleitet, an denen der Mensch entlanggeht, aus der Naivität der Horizontalen und aus dem Intellektuellen der Vertikalen wächst eine zweidimensionale Landschaft heran, die anzieht und abstößt. Die Landschaft des Bösen ist aus den Vorstellungen des Autors gemacht und beruht auf den erschreckenden Winkelverhältnissen von Horizontale und Vertikale. Menschen verlieren sich an die Labyrinthe und an die Gebirgsschluchten und vergessen den »Rückweg zur blühenden Wiese« (VIII, 68). Das dialektische Spiel mit Gut und Böse wird auch landschaftlich zu Ende gespielt. Mit der Erfahrung des Mehrdimensionalen und des Mehrdeutigen verläßt der Mensch die Sicherheit des Horizontalen und wird unverständlich wie das Gebirge selbst.

Nichts davon ist eine gekannte Natur, nichts ein sogenanntes Naturerlebnis, das der Gymnasiast in dieser Form auch nicht hatte, aber alles ist eine gekonnte Natur, aus Vorgestelltem und Gelesenem gemacht. So unzulänglich diese Ansätze scheinen mögen, die als artistisches Produkt erst einzuwerten wären, sind sie doch die persönliche Handschrift eines werdenden Dichters, dem wir mit dem Begriff orientalisch, rousseauhaft und ossianisch nicht wesentlich näherkommen. Es ist keine Landschaft, die beschrieben wird. Sie bleibt ohne Verliebtheit in einzelne Elemente, sie ist keine Familienlandschaft, in der die robusten Tugenden angesiedelt sind und sich in Gefühlen entladen. Man kann sie nicht so lesen, als ob ein Dichter bewußt etwas Endgültiges gesagt hätte, als ob es um ein *engagé* zu einer bestimmten Weltanschauung ginge. In diesen Versuchen, Abgründe zu sehen und Paradiese zu suchen, steckt etwas von dem konfliktreichen Trübsinn einer Jugend, der es noch schwer fällt, Worte zu finden, die aus Schaudern Schönheit machen.

Caroline Schlegel, derzeit noch Mme. Böhmer in Clausthal, schreibt 1785 an ihre Schwester Lotte Michaelis: »Ich beschwöre Dich, schick mir keine Uhrbänder, sondern diesmal etwas zu lesen in gotischen Buchstaben.« Und in jedem Brief heißt es wieder: zu lesen habe ich nichts mehr. Du sollst mir was aus dem Buchladen schicken. Caroline hat ganz bestimmte Wünsche. »Erstlich etwas Amüsantes gut zu lesen, wenn man auf dem Sofa liegt. Das muß kein Foliant sein, sondern was man mit einer Hand hält. Wohl möchte ich neuere französische Trauerspiele, kleine Romane, Memoires oder auch etwas ernsthaftes . . . zweitens möcht ich etwas zu lesen, wenn man auf dem Sofa sitzt und einen Tisch vor sich hat, als ältere englische Geschichte aus Alfreds Zeiten; und den 4. Teil von Plutarch (die anderen habe ich gelesen).«[29] Sie kennt Richardson, Knigge, Hermes, Wezel, Zschokke, Titel ohne Ende – eine Genußsucht des Lesens, die Jean Paul ein »poetisches Tollkirschenfest« nannte.

Aus vielen Briefen geht immer wieder hervor, daß man sich sehr bewußt geworden war, daß neben den großen Büchern eine Modeliteratur bestehe, die man auch gelesen haben wollte. Nach dem Bücherlexikon von Christian Gottlob Kayser weisen die Jahre 1780–1790 907 Romantitel auf und die Jahre 1790–1800 bereits 1623. Diese Zuwachsquote, so weit sie vom Trivialroman gestellt wird, kann nicht nur auf die Bedürfnisse naiver Leser zurückgeführt werden. Das Eigentümliche an dieser Literatur ist, daß sie durch sehr verschiedene Altersgruppen und sehr verschiedene Leserkreise hindurchschneidet. Diese Romane werden

von allen gelesen. Ungebildete und Gebildete greifen danach, eine Zeiterscheinung, hinter der künftige Kritiker einen allgemeinen Verfall des Geschmacks zu sehen glaubten, wo kaum mehr als ein Geschmackswandel in den Lesegewohnheiten eingetreten war. Lesen, informiert sein, wird hochgespielt. Tieck ironisiert schon im *Peter Lebrecht* die Untertänigkeit der Autoren vor dem »geneigten Leser«, der den zweiten Teil liest, den ersten schon vergessen hat und den dritten bereits angekündigt findet. Wer wollte sonst Schriftsteller sein? Der Leser erwartet von diesen Büchern weniger Schicksal, mehr Abenteuer und Illusionen. Man braucht Illusionen, um leichter zu leben. Aber das Auftreten neuer Geschmacksträger, das Geschmacksdifferenzen nicht aufhebt, lediglich kompliziert, kann mit der Verurteilung vom schmählichen Kitsch nicht abgetan werden.
Um nur einen Namen herauszugreifen: August Lafontaine, der Verfasser der *Klara du Plessis* (1794) und der *Familie auf Halden* (1797); Caroline, eine Frau, der es an kritischer Schärfe nicht gefehlt hat, schreibt 1792 an ihren Duzfreund F. L. W. Meyer: »Es gibt einen August Lafontaine, der deutsche Erzählungen schreibt, wie wir sie noch nicht haben – er ist Feldprediger, sagt man, und jetzt in unserer Nähe, Gott schütze ihn!«[30] Sie findet ihn wahr, psychologisch und treffend, sie, der man ein so geübtes Ohr zuschrieb, »daß A. W. Schlegel sie bei seinen Gedichten und Übersetzungen zu Rate zog«.[31] Und sie steht nicht allein mit ihrem Urteil. Wieland hat Lafontaine eine große Lobrede gehalten, Herder, in seinem Widerwillen gegen Goethes Philine (*Wilhelm Meister*), stellt Lafontainesche Heldinnen weit über sie. Und August Wilhelm Schlegel, der in keiner Weise für die Bocksprünge des Trivialen zu haben war, hat ihm in seinen Vorlesungen nicht zugesetzt. Lafontaine, dessen lesbare Familiengeschichten ihren Platz neben der Familienbibel behaupten konnten, weil sie das Hergebrachte in einer leicht verständlichen und gefälligen Form weiterführten, ist für gebildete Kreise noch durchaus annehmbar.

Selbst die Königin Luise soll ihn noch mit Vergnügen gelesen haben. Und von diesem selben Lafontaine verzeichnet Quérard in *La France littéraire* (Paris 1827/29) mehr französische Übersetzungen, als die Romantiker selbst je erlebt haben.

Gundel Brentano schreibt nicht ohne Ironie an ihren Bruder Clemens: »Wollen wir auch einmal von gelesenen Büchern etwas bringen, so fragen wir ganz modest: Kennen Sie die moralischen Erzählungen von Frau von Laroche, oder dieses und jenes Buch von dem beliebten Lafontaine?«[32] Und sie fügt im selben Brief vom 21. Februar 1801 hinzu: »Ein Mädchen wie ich, darf nicht sagen: bei Schlegel und Goethe. Denn das ist gegen die Ehrbarkeit, die sich für unsereins schickt.« Und dergleichen schickliche Helden, zu denen man sich bekennen durfte, waren nicht nur für junge Frauen gemacht, auch für Standespersonen. Siegfried, Hagen, Kriemhild waren so honorig, daß »der blödsinnige Vater und die landedelfrauliche Mama Burgsdorff der Helden wie Lafontainischer Romanfiguren erwähnten«.[33] Und Brentano rechnet es seinem Freund, dem Buchhändler H. R. Sauerländer, hoch an, daß er jungen Mädchen Spieß und Cramer in der Ausleihe vorenthielt, weil »Frauenzimmer besonders am Ende ihres Lebens nichts als Kopien der Romancharaktere waren, die ihnen die Lesebibliotheken ihres Ortes dargeboten haben«.[34] Clemens gehört schon zu jenen, die mehr vom Volkstümlichen als vom Modischen erfaßt werden. Seine persönlichste Einstellung, die von diesem Lesezwang frei ist, steht in einem Brief an Arnim: »Alles geschieht in der Welt der Poesie wegen . . . Dichtkunst und Musik sind die beiden allgemeinsten, genau aufeinandergepfropften Reiser des poetischen Baums; er trägt hier in der Dichtkunst rote Rosen mit vielen Rosenkönigen, in der Musik weiße Rosen. Unsere Arbeit sei, diese Rosen zu erziehen, Kotzebueschen Mehltau und Lafontaineschen Honigtau von ihnen abzuhalten.«[35]

Wie immer die Tieck und die Hoffmann auch über die

Spießschen Trivialitäten geulkt haben mögen, es gab niemand, der nicht vom *Petermännchen* und dem *Alten Überall und Nirgends* gewußt hätte. Fast jeder lesewütige Gymnasiast hatte einmal den *Deutschen Alkibiades* von Cramer gelesen und hielt den Verfasser von 93 Bänden für ein Genie. Cramer hatte nicht unrecht, wenn er im Vorwort zu *Erasmus Schleicher* behauptete, daß seine Romane nicht gelesen, sondern verschlungen würden, und Tieck bestätigt im *Zerbino,* »wie ein allerliebstes Publikum in seine (Spieß') Narrheiten verliebt war«.

Man hat die Familienromane, Ritter- und Geistergeschichten, vor denen es keine Rettung gab, alle gelesen. Man fand sie billig, aber auch spannend. Man hatte zumindest die Genugtuung, daß man beim Neuesten dabeigewesen war, so wie die Jugend von heute bei Beat und Pop dabeisein will. Die jungen Romantiker gehen durch den Konsum dieser Schmöker rasch hindurch. Problem wird für sie der Bundesroman, der dem Familienroman die gut eingeführte Heldenindustrie des Spießbürgerlichen überläßt und sich selbst dem intellektuellen Spiel der Intrigen auf weißen und schwarzen Feldern zuwendet. Diese literarische Welle rekonstruiert die vorbildlichen Mechanismen der Hochgradorden: einen Geheimbund, dem unbekannte Obere vorstehen, einen Emissär von zwielichtiger Anlage, eine zusammengewürfelte Symbolik, ein Spiel mit übernatürlicher Führung und Fügung. So entstehen Modelle für den Hieroglyphencharakter der Wege, die wir gehen. Wenn F. J. Schneider[36] fragt, »wie und wodurch wird im protestantischen Geistesleben am Ende des 18. Jahrhunderts die Kontinuität mit der Weltanschauung des Mittelalters hergestellt«, darf die Antwort sein: durch den Bundesroman, in dem der manieristische Rohstoff der geheimen Gesellschaften lesbar verarbeitet wird.

Der Bundesroman hat keinerlei Anspruch auf einen Platz in der Erwachsenenbildung der Zeit, wie man ihn dem Familienroman zugeschrieben hat. Aber als literarisches

Produkt mit dem Bestreben, über das Bekannte hinaus ins Unbekannte vorzudringen, stellt er einen avantgardistischen Versuch auf dem Boden des Trivialen vor. Er ist ein Vorstoß in die künstlichen Labyrinthe des Bösen, die noch verpönt waren. Ihm haftet etwas von dem an, was E. T. A. Hoffmann am Hafftitzschen *Microchronicon berolinense* anzieht: »Die Sache bleibt für uns rein phantastisch und selbst das unheimliche, spukhafte, das sonst dem furchtbar verneinenden Prinzip der Schöpfung beiwohnt, kann, durch den komischen Kontrast, in dem es erscheint, nur jenes seltsame Gefühl hervorbringen, daß eine eigentümliche Mischung des Grauenhaften und Ironischen, uns auf gar nicht unangenehme Weise spannt.«[37] Und er verweist in der Einleitung zur *Brautwahl* auf das Meisterstück an verbrecherischem Grauen, auf Tiecks *Liebeszauber*.

Ein Buch aus der Reihe dieser neuartigen Romane ist gerade von der jungen Generation bis zur Tollheit gelesen worden: *Der Genius*, von einem Verfasser, der sich Marquis von Grosse nannte. Dieser Grosse hat für kurze Zeit die literarische Öffentlichkeit beschäftigt und galt dann als verschollen. Die Nachrichten über ihn, die noch immer auf den Anmerkungen zu *Caroline, Briefe aus der Frühromantik* (nach G. Waitz, vermehrt herausgegeben von E. Schmidt, Lpz. 1913, S. 698) beruhen, müssen von Grund auf berichtigt werden. Es haben sich von vornherein Fehler eingeschlichen durch die Verwechslung mit dem Metzgersohn Franz Matthäus Grossinger[38], der als Franz Rudolf Edler von Grossing die Gunst Maria Theresias genoß und durch Gründung eines Rosenordens für Damen, dessen Diplome begehrt waren wie der letzte Schick der Mode, ein fürstliches Einkommen bezog.

Else Kornerup hat in ihrem Buch *Graf Edouard Romeo Vargas. Carl Grosse* (Kopenhagen 1954) den Fall Grosse weitgehend geklärt. Grosse selbst hat in einem Nachwort zum dritten Band des *Genius* bestritten, der Verfasser einiger anonymer Schriften und Aufsätze zu sein, in denen man sich eine genaue Ähnlichkeit des Stils mit dem *Genius* zu entdecken eingebildet hat. Zwei Jahre später berichtet die *Allgemeine Literaturzeitung* (15. Juni 1794), daß es dem Marquis Grosse gefallen habe, sich zum Grafen Vargas hochzuspielen. Für Tieck ist es ein Faktum, das kaum mehr interessiert. Er schreibt im Vorwort zur zweiten Auflage des *William Lovell* von einem gewissen Grosse, »der sich Marquis nannte, in Spanien zu wohnen eine zeitlang vorgab, den Genius und später Novellen, als Graf Vargas auch Beschreibungen aus Spanien und der Schweiz geschrieben hatte; er ist jetzt wohl vergessen«. Vergessen war auch, daß Grosse in seinem Roman *Der Dolch* (1794, II, 81–88) sich als Opfer eines gewitzten Betrügers hinstellt, der ihn zum Marchese gemacht habe, und daß er sich gleichzeitig von den Publikationen eines Grafen Vargas distanziert. Auch der Name Vargas wurde vergessen. Erst die Dänin Else Kornerup hat den Fall wieder aufgenommen und an Stiluntersuchungen der Schriften die Identität von Grosse-Vargas einwandfrei festgestellt.

Der korrekte Name ist Carl Friedrich August Grosse, geboren in Magdeburg am 5. Juni 1768 als Sohn des Stadtarztes und kgl. preußischen Hofrats Christoph Ernst Grosse und seiner Ehefrau Dorothea Elisabeth Amalie geb. Schröder.[39] Das Schülerverzeichnis des Gymnasiums Unserer Lieben Frauen in Magdeburg belegt, daß er diese Anstalt sieben Jahre lang besucht hat und Ostern 1786 mit dem Abitur abging.[40] Er immatrikulierte sich am 26. April 1786 in Göttingen für Medizin. Oktober 88 geht er nach Halle und kommt im Frühjahr 1790 nach Göttingen zurück. In diese Zeit von ungewöhnlicher und auch undurchsichtiger Schulung fällt eine Reihe von Publikationen: *Helim oder über die Seelenwanderung* (Zittau und Leipzig 1789), Charlotte Michaelis gewidmet, und ein Magazin für die *Naturgeschichte des Menschen,* dessen erstes Heft noch seinem Vater gewidmet ist. Schon hier tauchen allerlei überraschende Titel auf: ordentliches Mitglied der Gesellschaft für Naturforscher in Halle, der lateinischen Gesellschaft in Karlsruhe, gräflich Stollberg-stollbergischer Hofrat, wovon sich keiner belegen läßt. Das medizinische Lexikon von Callisen (1831, VII, 403) kennt noch mehr Titel, die Grosse wie Uniformen liebt: Phil. et Med. Dr., Marchese von Pharmusa, Fähnrich bei der Garde, Kammerherr am sardinischen Hofe, Canonicus von Halberstadt.

Der Mann, der von Halle nach Göttingen zurückkommt und die Professorentöchter behext, ist ein völlig anderer. Er trägt eine blendende Uniform mit dem Malteserkreuz auf der Brust, heißt Marquis von Grosse, ein Titel, den er durch die Heirat mit einer inzwischen verstorbenen adeligen Dame rechtmäßig erworben haben will. Die Voraussetzungen für diese Metamorphose Grosses hat auch Else Kornerup als undurchsichtig offengelassen.

Aus Rückschlüssen auf die Betriebsamkeit geheimer Gesellschaften darf man den Erwerb des Marquisats simpler betrachten. Halle war das Operationsfeld des geschäftstüchtigen Theologen K. Fr. Bahrdt, der 1788 einen Geheimbund mit den Tendenzen der verunglückten Illuminaten zu gründen versuchte. In den Hochgradkapiteln, wie man die Logen jetzt nannte, die auf pompöse Titel und Abzeichen angelegt waren, waren auch Adelsprädikate für Geld und schöne Worte zu haben. Solche Zusammenkünfte verließ man als Chevalier de l'épée, als Ritter a Pavone, a Pialla, a Capite Ursi. Es hat eine ganze Aristokratie von eigenen Gnaden gegeben. Nicht nur Halle, auch Jena war in Hochstapeleien nicht unerfahren und hatte seinen Joh. Samuel Leuchten, der als schottischer Kavalier Georg Friedrich von Johnson auftrat. Jena, Magdeburg, Dresden hatten schon in den siebziger Jahren ihre Tempelritter. Rosenkreuzer und Schottenlogen gab es in ganz Deutschland, und die Studenten hatten in Jena, Gießen, Marburg und Göttingen ihre rauhbeinigen Amizisten. Grosse tritt in Halle in die Reihe der betriebsamen Grafen wie Cagliostro und Saint-Germain, die zu faszinieren verstanden. Und gerade aus diesen Erfahrungen, die noch aufzuklären wären, ist ihm vermutlich auch der Rohstoff zu seinem Bundesroman *Der Genius* zugewachsen, mit dem er sein brillantes Gastspiel im bescheidenen Ensemble der schreibenden Theologen und Hauslehrer gibt.

Grosse war durch seinen Freund Philipp Michaelis im Hause des berühmten Orientalisten gern gesehen. Die Tugenden, die Richardsons Roman *Sir Charles Grandison* pries, waren in Göttingen nicht gerade letzte Mode. Caroline[41] nennt ihre Schwester Lotte »eine ausgemachte Coquette«, die ihrer Familie eine unbeschreibliche Last ist, und Luise ein »Gänschen«, die ihrer Mutter auch Sorgen macht. »Unsere Familie ist zerrüttet durch Verdorbenheit, Unverstand, Schwäche und Heftigkeit der einzelnen Mitglieder.« Grosse verlobt sich mit Luise, mit einer der Demoiselles Michaelis, über deren Lebenswandel es verschiedene Lesarten gab. Bald darauf kommt aber aus Bremen sein Absagebrief[42], dem es, wie Caroline in solchen Fällen zu sagen pflegte, an der »gemeinsten Honettetät« fehlte. Auch das kam in Göttingen nicht nur einmal vor, einer Stadt, von der »im Allgemeinen nicht viel Tröstliches zu sagen ist«, wie Caroline meinte.[43] Grosse löst gelassen die provinziellen Verbindlichkeiten auf, die zu dem Mann, der eine Rolle spielen wollte, nicht mehr paßten. Der Marquis tritt ab zum Kostümwechsel für eine neue Rolle. Er hatte nur das Unglück, daß es eine Schwester Carolinens war, die sie schon gerne als Marquise unter der Haube gesehen hätte. Noch im März 1809 schreibt sie an ihre Schwester Luise, nun ehrbare Frau Wiedemann: »Von Grosse habe ich auch nie wieder etwas gehört. Er muß sich ganz im Gedränge verloren haben.«

Diese Geschichte von einem gewissen »raffinement de l'amour« aus der Zeit der *cocardes tricolores* am Rhein hat sich inzwischen durch die Entdeckungen von Else Kornerup trivialisiert. Grosse hat Alter und Sterbedatum bekommen wie jeder gute Magdeburger. Er ist am 15. März 1847 in Kopenhagen gestorben und reiht sich mit seinem Geburtsdatum (5. Juni 1768) in die Altersgruppe der Frühromantiker ein. Was Gerüchte und schlechter Leumund waren, was vor den Göttinger Honoratioren nicht bestehen konnte, hat sich inzwischen geklärt. Was Grosse vornahm, war kein billiger Kleidertausch, der die heiratslustigen Mädchen anlocken sollte, sondern der Hang, zu scheinen statt zu sein. Das war keine Gewissensfrage, sondern eine Verwandlung, in der die Spannung zwischen Person und Rolle nicht mehr in Erscheinung tritt. Grosse hat mit der Theaterfreudigkeit der Romantiker sein ganzes Leben lang verkleidet gelebt, und man hat ihm die Rollen, die er gespielt hat, auch geglaubt. Grosse hat sein Verlangen nach einer Repräsentantenrolle mit edler Maske, aber auch mit einer gewissen Schelmenweisheit betrieben. Er hinterließ Urkunden in tadellos beglaubigter Abschrift, wovon auch nicht ein Faktum in den Adelsarchiven und Malteserpapieren sichergestellt werden konnte. Es hat auch in Spanien keine Grafenfamilie Vargas gegeben. Aber Grosse macht Bekanntschaften von Rang, gewinnt das Vertrauen des Herzogs Vargas Machuca in Neapel und geht damit in einer europäischen Adelskultur unter. Alle Angaben, die er über seine Verwandten gemacht hat, sind Phantasie, was aber den Namen des Betrugs durchaus nicht verdient. Er hebt die Kontinuität eines Lebens wie die Lektüre eines flauen Romans, der nicht mehr unterhält, auf. Magdeburg und Göttingen sind gründlich vergessen. Er dichtet eine Existenz mit dem Schein von neuen Namen und Titeln, die wahrer wurde als die Wirklichkeit. Er hat in großer Uniform bis an sein Lebensende das vornehme Gesicht behalten, mit dem er am schönen Schein teilnahm, und ist in Kopenhagen als Graf Vargas-Bedemar, hochgeschätzter Geologe, Mitglied vieler wissenschaftlicher Gesellschaften und intimer Freund des dänischen Königs gestorben.

Grosse ist als romantischer Graf eine Kometenfigur unter den Hauslehrern, Forsträten und Theologen, die uns die Geschichte von *Lottens Leben und Ehestand*, von *Männer-*

*schwur und Weibertreu,* von *Bianca Capello,* von *Leben und Meinungen Erasmus Schleichers* beschert haben. Er, der, wie Caroline behauptet, sich einbildete, daß er Karl XII. aufs Haar gleiche, gehört wie Cagliostro und Konsorten zu den Figuren, die auf dem Index der bürgerlichen Moral stehen. Die Tatsache, daß er in *Memoiren* (1792) Mädchen ehrbarer Herkunft bloßstellt, die Schlegelei verlacht und Caroline böse Beinamen gibt, hat zweifellos ihr Urteil über den geheimnisvollen Grafen bestimmt. Sie, die zwar Zschokkes Banditenroman *Abällino* wirksam findet, tadelt F. L. W. Meyer, den eleganten Literaten, daß er für Grosses *Genius* eintritt. »Sie finden Grosses Genius erträglich? Mir geht der Kopf rund um. Daß er Sie als Abenteurer interessiert, verzeih ich, weil sie ihn nicht in der Nähe gesehen haben. Er war ein planloser, gegen alle Schande aus Poltronerie gefühlloser Windbeutel.«[44]
Anders die Tieck und Hoffmann, die in ihm den Weltmann ihrer eigenen Generation erkennen. Grosse hat als Romantiker sein Leben im Kostüm gespielt und hat als Autor auch den eleganten Bundesroman geschrieben. Tieck empfiehlt seinem Freund Wackenroder nebeneinander die Lektüre von Goethes *Tasso* und von Grosses *Genius.* »Wenn Du recht glücklich sein willst«, schreibt er, »so lies den 2. Teil vom Genius, der diese Ostermesse (1792) herausgekommen ist, er hat mich äußerst glücklich gemacht.«[45] Wir alle kennen Tiecks Bericht über die Lesung des *Genius*[46] – von vier Uhr nachmittags bis zwei Uhr nachts, bei der die beiden sturen Zuhörer, Schmohl und Schwinger, einschliefen und Tieck in stundenlange Ekstasen verfiel. Solche Lesungen waren durchaus im Stil eines lesewütigen Jahrhunderts. Die schöngeistige Emilie Berlepsch hat, wie Caroline[47] aus Mainz berichtet, »alte gelehrte Herren mit aristokratischen Zauberkünsten gezwungen von 5–12 Don Carlos anzuhören«. Keine Literaturgeschichte hat verfehlt, diese literarische Studentenorgie, die Tieck für Wackenroder mit journalistischer Bravour beschreibt, als Beweis einer fragwürdigen

Labilität anzuführen. Der Bericht, der mit der Besorgnis endet, daß er wahnsinnig werden müßte, daß er nie mehr glücklich werden könnte, daß er sterben möchte, gehört aber auch zum Generationsstil dieser Jugendbriefe. Hoffmann schreibt nicht anders an Hippel. Die Briefe sind voll von Verlust, Trübsinn, Schwärmerei und sind mit »ewig, ewig – dein« gezeichnet.

Wackenroder nimmt die Nachricht mit Besorgnis auf. »Aber, daß der Verfasser ein origineller Kopf ist, der die Sprache in seiner Gewalt hat, wie ein Schauspieler seine Stimme, der das Blut durch alle Adern jagen, der kalte Tränen des Schreckens aus den Augen pressen, der die Seele in ein Meer der entzückendsten Gefühle eintauchen kann, das ist unwidersprechlich. Um seinen Stil zu schildern und zu loben, müßte man selbst schreiben wie er. Um nur der Charakterzeichnungen zu gedenken, welche Meisterstücke! Ich kenne wenigstens keine höheren Muster.«[48]

Tieck ist nicht der einzige unter seinen Zeitgenossen, der in dieser Literatur positive Werte sieht. E. T. A. Hoffmann schreibt an Hippel, daß er den *Genius* »mit einer Art von Geisteserhebung« lese. »Meine Phantasie hatte einen Festtag.«[49] Und als er um elf Uhr nachts das Buch aus der Hand legt, geht Knistern und Luftzug durch das Zimmer. Daß es so ist, gibt, wie er sagt, »dem Gemälde das Kolorit«. Und Hoffmann kommt mehr als einmal darauf zurück. Man brauche sich der Qualität des Buches nicht zu schämen, »da wenigstens der 1. Teil, dessen größere Hälfte in den Schillerschen *Horen* abgedruckt stand, der Lebendigkeit der Darstellung und auch wohl der geschickten Behandlung des Stoffes halber, die ganze literarische Welt in Bewegung setzte«. E. T. A. Hoffmann, für den alles Quelle war, der *Ambrosio, the Monk* von Lewis eine wunderbare Geschichte nennt, der zu den Gnomen von Gabalis den Gemüsekönig Carota *(Königsbraut)* hinzuerfindet, der über Hexenprozesse, Einsamkeit, Heilige und Einsiedler liest, der Theophrastus, Cardanus, Trismesgistus herzählt wie Kalenderheilige, kennt auch das Handwerk des Schreibens. Für ihn steigen verlorene Sphären des Manierismus aus diesen Büchern auf. Aber er weiß auch, daß zünftige Kritiker in diesen Stoffen Unrat wittern werden. Sie werden verkünden, woher der Stoff ist und »dann mit vielem Pomp, stolz auf den armen Dichter herabsehen, der nichts tat, als die Figur kneten aus einem Teig, der schon da war – als ob es darauf ankommen könnte, daß der Dichter den Keim, den er irgend wo fand, in sein Inneres aufnahm, als ob die Gestaltung des Stoffes nicht eben den wahrhaften Künstler bewähren müsse«.[50]

Und warum nicht einmal die Frage nach dem Machen des Trivialen?

*Der Genius*, »aus den Papieren des Marquis C. von Grosse«, ist »mit allergnädigsten Freiheiten« bei J. C. Hendel in Halle erschienen: der erste Band mit der Jahreszahl 1791, der zweite zur Ostermesse 1792, der dritte zur Michaelismesse desselben Jahres und der vierte 1794.
Tieck bezieht sich in seinem Brief an Wackenroder (12. Juni 1792) selbstredend auf die zwei ersten Bände des *Genius*. Wir haben keine Belege dafür, daß der dritte und vierte noch mit derselben Spannung gelesen wurde. 1794 steht Tieck bereits im Dienst Nicolais und hatte Aufklärung zu produzieren. Andrerseits wächst auch schon sein eigener Roman *William Lovell* heran, in dem er besitzt, wovon er in den Schülerarbeiten nur besessen war.
Was haben die Romantiker in diesem Roman gelesen? Die Inhaltsangaben, die in der Darstellung der Trivialliteratur da und dort auftauchen, sind nicht nur fragmentarisch, sondern durch vorweggenommene Wertungsabsichten auch entstellt. *Der Genius* ist ein Buch der Tatsachen, das aber weder mit Gewohntem noch mit Glaubwürdigem zu tun hat, sondern mit Verschwinden, Begegnen, Mord, Überfall, Täuschung, und zwischen diesen Begebenheiten besteht kaum ein kausaler Zusammenhang, nichts, was unbedingt aufeinander folgen müßte. Das Leben ist in Widerspruch zur aufgeklärten Räson anscheinend aus Zufällen gemacht. Das war nicht überall zu lesen und für die Leser, die belehrt werden wollten, auch kaum akzeptabel. War das Buch ein Bestseller? Zumindest keiner, der durch vorfabrizierte Erfahrungen und Gemeinplätze das Buch für den Familientisch gewesen wäre. War es das Buch, das Intellektuelle

gelesen haben mußten? So viel scheint sicher, daß es eine exklusive Gefolgschaft hatte, daß es aber vor allem das Buch der jungen Generation war, aus deren Reihen der Autor selbst kam. Und sie ist es auch gewesen, die ernsthaft die Frage nach der Herstellung, nach dem Autor und seinem literarischen Potential erhoben hat.

Die Figuren des *Genius*, die sich im Netz der Geheimnisse bewegen, sind Standespersonen von bekanntem Klischee, eine saturierte Gesellschaft, die nicht im Sinne des guten Bürgers zwischen Sitte und Sünde zu unterscheiden bemüht ist. Im Gegenteil, sie überschreitet alle Grenzen, die dem kleinen Mann gesetzt sind. Grafen und Herzoge, Akteure, die etwas vorstellen, treten uns aus den Schlössern entgegen, Damen seufzen in der Einsamkeit der Gärten. Was uns als Bauer oder Marktschreier über den Weg läuft, sind Männer, die unter dieser Maske einen hohen Namen der Verfolgung entziehen. Diese Figuren, zu deren Erlauchtheit die elegante Erscheinung gehört, haben automatisch alle Vorzüge des gepflegten Menschen und den Umgangston gebildeter Kreise, wenn auch nicht mehr die rigorose Haltung des Standesherrn. Sie sind, wie der Marquis von sich selbst sagt, »wollüstig geboren« (I, 213), Menschen, die nicht auf Gottesfurcht und Sparsamkeit eingestellt sind, aber aus allem den Reiz wählen, der am zärtlichsten schmeichelt. Sie sind ohne Biederkeit und ohne Heiligenschein, Grafen und Herzoge, denen der ganze europäische Raum gehört, leidenschaftliche Spieler wie Grosse selbst, die neben uns spielen, aber ohne historischen Pomp.

Was Grosse an Figuren bringt, ist bei alledem keine Konfektionsware. Er bringt Gesichter mit guten und schlechten Winkeln, schöne, pockennarbige und lasterhafte Gesichter, eitle, die nur sich sehen, solche, die leicht sind oder leicht sein möchten, Männer, die betrügen und betrogen werden, die um die Liebe der Frauen bitten, und solche, die sie nehmen, Menschen mit einem blauen und einem schwarzen Auge wie Jakob – zwei Menschen in einem. In jeder Gestalt ist ein Widerspruch, keine, der alles gelänge. Sie sehen von Zeit zu Zeit nach dem Kalender, werden von Tag zu Tag zerstreuter, verschwinden, kommen zurück und setzen sich wieder zu ihren Freunden an den Spieltisch.

Die Paare werden getrennt, sie werden Widerwärtigkeiten ausgesetzt und wieder vereinigt. Liebe wird aufgefächert in Tränen, in Wollust, in Betrug, in Laune. Die Paare werden verdoppelt und verwirrt durch das Nebeneinander vieler Paare – Schemata aus dem heroischen Roman – aber ohne die alte Bewährung in Beständigkeit und Treue. Was sie aus Bindungen löst, gibt sie der Flucht und dem Zufall, dem Bruch mit dem Vorbedachten preis, wie er in den empfindsamen bürgerlichen Formen der Trivialliteratur nicht vorgesehen war. Von den sogenannten schönsten Wörtern – Treue, Freiheit, Heimat, Tugend, Friede – steht wenig in dem Buch.

Was hat die Romantiker daran fasziniert? Das Menschenbild, das den Grundsätzen einer humanistisch gesteuerten Gesellschaft widerstrebt, Menschen, die, in Verschwiegenheit verbunden, in einem Netz von Einbildung und Konjunktiven leben, Spieler, die, in ihrer Existenz bedroht, an allem teilnehmen und alles zu sich in Beziehung setzen.

Der erste Band beginnt mit einer Wendung, die ein für alle Male ein Einverständnis zwischen Autor und Leser herstellen soll: Der Marquis von G. beabsichtigt die Geschichte seines Lebens vorzulegen, die unter einem ungewöhnlichen Motto steht. »Aus allen Verwicklungen von scheinbaren Zufällen«, sagt Grosse, »blickt eine unsichtbare Hand hervor, welche vielleicht über manchem von uns schwebt, ihn im Dunkel beherrscht, und den Faden, den er in sorgloser Freiheit selbst zu weben vermeint, oft schon lange diesen Gedanken vorausgesponnen haben mag.« Unsere Existenz, aus Verwicklung und Zufall gemacht, ist also ein Geheimnis, das sich der systematischen Aufspaltung in Ursache und Folge entzieht. Grosse unternimmt es ohne Geheimniskrämerei, vom Unsagbaren des Lebens zu sprechen.

Die Lebensgeschichte des Marquis von G., die für den Grafen S. niedergeschrieben wird, ist durch Zwischenbemerkungen des Schreibers gegliedert, mit denen der Autor Gefühl und Kalkül für den Leser zu markieren versucht, ohne selbst als Erzähler in Erscheinung zu treten. Wir können daher auf das Typische einer Praxis ausgehen, die bewußt auf das Machen eines Buchs eingestellt ist. Die Erzählung des Marquis setzt an einem Tag besonderer Schweigsamkeit ein als Gespräch zwischen ihm und seinem Freund, dem Grafen S. Sie beginnt zu einer bedrohlich späten Stunde am Kamin mit dem Bericht des Grafen über »die schrecklichste Szene«, die sich in einem berüchtigten Wald, beim Rauschen eines Waldbachs abgespielt hat. Die Erzählung setzt mit einem anscheinend kriminellen Vorfall von provokantem Wert ein. Mit dieser Rückwendung in Vorzeitereignisse, deren Perspektiven seltsam verzeichnet sind und den Fadenwechsel zu einer Mehrgeleisigkeit der Handlungsstränge in sich haben, stellt Grosse den ersten Band auf zwei Namen ein, an denen der Tiefgang der Erlebnisse hängt: Franziska und Elmire. In eine Liebe, die ernsthaft von Leid und Sehnsucht durchsetzt ist, greifen geheime Umtriebe ein. Die Wege der Paare irren von der Heerstraße ab, führen vor ein Gericht von Männern ohne Namen und enden mit dem Aufschrei Franziskas, die in eine Höhle hinunterstürzt – gestürzt wird? Wer es mitangesehen hat, bleibt selbst ungeborgen zurück. Dieser Anfang nimmt uns den Atem weg. Das Gespräch von Graf und Marquis, in dem die Gefahr von ungeahnten Verbindungen und Kreuzungen aller Wege auftaucht, von Verbrechen und Zufällen als dem letzten Geheimnis des Lebens, dem wir ausgeliefert sind, setzt sich dann in den geordneten Fluß einer Lebensgeschichte um, die von vornherein mehr als ein Ereignis kennt, das uns erschreckt.

Grosse vermeidet eine Einteilung in Kapitel und den Gebrauch von Kapitelüberschriften, die den Autor verraten könnten und den Leser sozusagen an die Hand nehmen, um ihm Sicherheit zu geben. Er beläßt es bei einem Handlungsroman, dessen Zielsetzung er durch Reflexionen und Sentenzen des Marquis unterstreicht. Zwischen den Spannungsbögen der Erzählung steht im Druck nichts als ein Strich, der graphisch eine Atempause einlegt. Die einzelnen Erzählphasen stehen im Zeichen eines schönen Abends, im Staunen des folgenden Morgens, beziehen sich auf den Sommer, auf einen Winter, der langsamer als sonst verstreicht, und verlaufen in starker Raffung der Zeit mit einem – nachdem, bald darauf, noch einmal, endlich.

Die Spannung entsteht nicht an den biegsamen Gelenkstellen des Phasenbeginns, sondern am Phasenende, das pointiert: Geheimzeichen stehen an der Kirchentür, Bundesbrüder enthüllen ihr Gesicht, Eide werden auf Dolch und Kreuz geschworen, gekränkte Frauen verlassen verächtlich das Zimmer der Kurtisane, Ehemänner stehen mit einer kalten Verbeugung vom Mittagstisch auf. Die tödlichen Schüsse fallen am Schluß der Abschnitte, Ermordete werden im Garten vergraben, und der Schrei des Wiedersehens bricht das Kapitel entzwei.

Die brillante Anordnung der Fakten im ersten Band kann gerafft wiedergegeben werden. Die dramatischen Verknüpfungen, das menschliche Gebundensein, das Geheimnis von Verfolgung, Flucht und Staunen liegen im Blick aller Menschen, die einander begegnen. Fragen werden kaum gewagt, und Antworten gehen an ihnen vorbei. Man erlebt und überlebt. Zufälle häufen sich. Erscheinungen spielen sich bei geschlossenen Türen und verriegelten Fenstern ab wie der Mord in den späteren Kriminalgeschichten. Schriften gehen verloren. Mit Blut beschriebene Zettel fallen aus Gebetbüchern. Mord wird geplant. Menschen verschwinden. Jahreszeiten wechseln. Freunde ziehen gegeneinander den Degen und sitzen wieder zusammen am Kamin. Geheimnisse wollen an die Oberfläche. Der Genius warnt.

Das Kernstück des ersten Bandes ist die geheime Gesellschaft, die hinter allem Tun steht. Zu ihr steigt man über

Treppen, durch Gänge in Höhlen hinunter. Die Hauptpersonen stehen durch die bestürzende Parallele bestimmter Begebenheiten in unmittelbarer Abhängigkeit von Nebenpersonen, deren Lebensgeschichte die Spannung der Haupthandlung nur steigert. Die Icherzählungen des Fanatikers Jakob und des Verräters Pedro sind wie Saturnringe um das Mittelstück gelegt. Karlos tritt vor die Männer der Führung, wird eingeweiht und legt den Eid der Verschwiegenheit ab. In der Feier dieses Tages verfällt ihm Rosalie, die Bundestochter, deren Aufgabe es ist, ihn zu binden, aber nicht gebunden zu werden. Dieser Abschnitt, der im Zeitlupentempo abgespult wird, ist aus den Exzessen des Geistigen und des Sexuellen gemacht. Es beginnt ein Fallen von Gefühl zu Gefühl. Karlos will mit Franziska fliehen, die lautlos entführt worden ist. Elmire – und ist es Elmire? – kehrt zurück. Amanuel, der Genius, der ihm beigegeben ist, warnt. Auch sie soll nicht Besitz bleiben. Fensterscheiben zerspringen, Zischen und Pfeifen bricht los. Ein Schuß fällt. Elmire, die nicht Elmire ist, stirbt. Räumlich verläuft die Handlung von Alkantara nach Alkantara, von Kamin zu Kamin als Spiel undurchsichtiger Intrigen. Was ist Besitz? Was darf Besitz bleiben? Was können wir halten? Das sind die Fragen, die auf der Flucht aus der biederen Mittellage des Familienromans gefragt werden müssen.
Auf die Darstellung der Machtpolitik eines Bundes folgt mit dem zweiten Band ein Buch der Liebe. Die Stränge der Handlung werden aufgefasert. Amanuels Stimme reicht in den Anfang und in das Ende hinein. Hat der erste Band mit dem Tod Franziskas begonnen und mit dem Sterben einer Elmire geschlossen, die nicht Elmire war, so beginnt der zweite Band mit dem Exequien für sie und endet mit der Wiederkehr der Geliebten, die Karlos so gut wie den Leser vor das Unerfindliche von Verlieren und Finden stellt. Es geht dabei nicht um das Gut und Böse von undurchsichtigen Handlungen. Man kann nicht von Schuld, aber auch nicht von Unschuld sprechen. Schüsse, Dolchstiche,

Erscheinungen, Entführungen, Masken sind Signale des Hintergründigen im Dasein gezeichneter Menschen. Keiner von ihnen kommt aus der Idylle. Grosse wagt den Satz: »Wir sind von Phantomen umringt, Unsere Existenz ist selbst ein Phantom.« (IV, 12)

Das Kernstück des zweiten Bandes ist die Einsiedelei. Zu ihr gehen die Wege aus der Welt, die verletzt, zurück, und von ihr gehen die Wege wieder in die Welt, deren Leidenschaften ausgekostet werden müssen. Grosses Einsiedler ist neben den Emissären der Welt, die nicht sind, was sie scheinen, die eine literarisch unverbrauchte Figur ohne Maske. Sie ist nicht säkularisiert, nicht demokratisch aufgelöst in den arbeitsamen Bürger, der sich am Ende seines Lebens ins Maßvolle absetzt. Sie hebt uns aus den geheimen Machtstrukturen heraus und wird in der Weisheit produktiver Aufgaben und schweigsamer Stunden der Gegenpol einer pluralistischen Ideologie. Tieck hält die Dialoge in der Einsiedelei für »das Schönste«. Sie sind »der Triumph des Verfassers, so dachte ich mir meinen Almansur (wenn du dich noch dieses flüchtigen Aufsatzes erinnerst), dies war mein Ideal, so hätte ich schreiben, so alles sagen wollen«.[51]

Der Held, der durch Verfolgung und Täuschung hindurchgegangen ist, der beobachtet und geprüft und mit Elmire wieder vereinigt wird, steht vor der Ausrundung eines eigengesetzlichen Lebens. Leidenschaften sind gelebt und Dinge sind auf ihren Wert hin abgetastet worden. In Elmire, die wiederkehrt, wächst für Karlos Inhalt und Aufgabe innerhalb der Gesellschaft heran. *Der Genius* ist mit Hinblick auf das ursprüngliche Schema der Bundesromane mit dem zweiten Band gewissermaßen zu Ende gedacht.

Der dritte Band greift mit seinen ersten 65 Seiten das Kapitel Elmire noch einmal auf. Es wird idyllisch geschlossen. Die Liebe wird zu Vaterschaft und Verantwortung ausgeweitet, in tätiger Landarbeit gelebt und im natürlichen Tod

von Mutter und Kind ausgelöscht. Mit einem Blutsturz Elmirens, der den kleinen Jungen nach sich zieht, verschlackt das Gefälle des Romans in Familientrauer. Hier liegt in der Struktur des Buchs ein Bruch vor, dessen sich der Autor auch bewußt ist. Er versucht den Wechsel in der Anlage des dritten Bandes, der durch das Überlaufen der Elmirengeschichte geschieht, zu bemänteln. Er erklärt im Vorwort zum vierten Band, daß er bei der Herausgabe des ersten Bandes einen anderen Plan vor Augen gehabt hätte, »als den mir nachher die üble Laune der Leser aufgezwungen hat, so verlor ich das Ideal einer Harmonie aus den Augen«.
Grosse läßt mit Elmirens Tod den Bundesroman ausrinnen, ohne ihn motivgeschichtlich bewältigt zu haben. Er beginnt daher mit einem Zeitschub neu: »Hier knüpfe ich endlich nach diesem so langen Zwischenraum wieder an.« (III, 67) Der Marquis und der Graf suchen die Spuren einer geheimen Vereinigung. Es beginnt der Roman eines Gegenbundes, der Roman der Amateur-Detektive, der in Toledo, Paris, Venedig, auf Maskenbällen und Jahrmärkten spielt. Die Täter werden nie erjagt. Es bleibt bei einer *story of suspense*, die sich dem ursprünglichen Geheimbundroman anschließt. Band III und IV brechen in zwei ungleiche Stücke auseinander. Von einem Mittelstück, das in seiner Breite kernbildend wirkte, ist nicht mehr die Rede. Die Raffungsintensität ist gering. Das Buch unterhält, ohne zu behexen. Grosse mischt Gauner und Dandies, Herren und Schelme, Gefühl und Kalkül, Spannung und Langeweile zu einem Roman von labyrinthischer Irreführung. Die Intrigen und Spiegelfechtereien in den letzten zwei Bänden sind auf einen leichteren Boden verlegt. Die Gags dieser Detektivtätigkeit spielen ins Burleske: Maschinen mit blutendem Mund, Geisterbeschwörungen, Bett- und Hahnreiszenen werden eingesetzt. Neue Paare werden aufgestellt, in Verliebtheiten gegeneinander ausgetauscht und unter dem Steigen und Fallen verschobener Busentücher in anrüchige Sze-

nen verfilzt. Liebesbriefe kommen in falsche Hände. Zusammenkünfte werden belauscht. Die Frauen mit »weißen Mädchenhänden« und einer »artigen Wade«, von Natur aus tugendhaft, »erröten über die Nachbarschaft einer Rose« (I, 34), wechseln die Farbe, fallen in Ohnmacht, und jedes Sofa macht sie schwach. In der Verwechslung der Frauen, in der Verwirrung der Gefühle, in der Eifersucht der Besitzer sitzt der Dolch locker, und Flinten werden hastig abgedrückt. Tränen und Blut fließen nach Bedarf. Dieses Stück an Vulgärem und an Sexappeal wird von der Breite der Ausführung aber auch angefordert.

Grosse nimmt die Fäden immer wieder sorgfältig auf, knotet und spannt, um der *story of suspense* neue Impulse zu geben. Jakob wird Gutsnachbar (I, 310), warnt als Maske (II, 174), bringt Rosaliens Urne und meldet die Zerstörung des Bundes (IV, 175). Pedro stellt Karlos vor Spiegelfechtereien (II, 14/17) und taucht in den Erinnerungen von Elmire als Verräter auf (III, 41). Es stehen noch zwei Leitfiguren im Spiel, die nicht mehr zum Zuge kommen können: der Genius und die Bundestochter. Sie werden aber unter Scheinwerferlicht vom Spielbrett abgesetzt. Bund und Rosalie werden im vierten Band, an paralleler Stelle zum ersten, mit geschickter Verklärung erledigt. Amanuel wird am Ende des dritten Bands in mißverstandener Eifersucht erstochen, womit an einer sehr exponierten Stelle das Schlüsselwort Tod-Wiederkehr-Tod fortgesetzt wird und der vierte Band mit der Wiederkehr einer neuen Geniusfigur schließen kann. Amanuel wird demaskiert als der treue Diener Alfonso. Die Handlung des Bundesromans rinnt stetig aus in ein Abnehmen der Masken und in ein Aufdecken der Verkettungen. Die Figuren treten abgeschminkt ins Tageslicht. Hat der dritte Band damit begonnen, das Kapitel Elmire zu schließen, so rundet der Anfang des vierten parallel dazu in einem deutlich abgesetzten ersten Teil von 89 Seiten die Geschichte des Genius Amanuel ab. Und wie keiner von ihnen tatsächlich nur unter einem

Namen gekannt und erkannt werden kann, so ist Amanuel nicht nur Alfonso, sondern auch der Graf von M., der Oheim des Marquis. Die Feier der Eleusischen Mysterien geht der Auflösung des Bundes voraus und verklärt Rosalie, die schwarze Königin des Spiels, die sich unter den Priesterinnen dem Zug der Männer anschließt (IV, 87). Damit ist der Roman der Bundesgeheimnisse zu Ende geschrieben.

Grosse setzt mit dem zweiten Teil von Band IV zum Ablauf der *story of suspense* noch einmal neu ein. »Noch einmal muß ich die Feder aufnehmen, die ich beym letzten Abschnitte dieser Memoiren auf immer niederzulegen zu können glaubte.« Schon im dritten Band scheint die Handlung oft wie aus den Bilderbogen eines Schelmenromans herausgeschnitten. Sie wird aus den Gelüsten der Männer und den verliebten Tränen der Frauen gemacht. Von da an häufen sich die Abenteuer der Liebhaber, Wüstlinge und Schelme mit den Herzoginnen, Schauspielerinnen und Kurtisanen. Anonyme Briefe, Ehezwiste mit verbissenen Zähnen, Überfälle, unbekannte Gegner überholen einander. Wie ein Ende finden? Die Frage wird dringlicher. Auf das Franziska-Elmire-Spiel folgt die Buffonerie eines Caroline-Adelheid-Spiels, in dem die Partner ausgewechselt und verwirrt und die Frauen für eine Weile im Kloster kaltgestellt werden. Noch einmal tritt ein Genius in Aktion, der den Grafen und den Marquis rettet. Der Titel des Romans, als Dachkonstruktion und Sinnmitte, muß durchgehalten werden. Der Schluß ist die Komödie eines Trickfilms. Caroline und Adelheid, die beiden verlassenen Frauen, kehren nach den Enttäuschungen der Liebe als Offiziere im roten Rock zurück. Der Genius wird ulkig doppelt gesehen. Sie holen ihre Männer aus dem abwegigen Maskentreiben Venedigs – wie sie glauben – für immer in die sichere Geborgenheit nach Hause zurück. Statt mit der Weltflucht in eine saubere Idylle, wie sie Grosses Bundesroman noch unternimmt, schließt die *story of suspense* mit einem offenen Schluß, mit einem *Happy-End* – was nicht besagt, daß den Ehepaaren das Glück treu bleibt. Davon ist erst die Courths-Mahler überzeugt, wenn die perfekte Sekretärin den Chef heiratet.

Grosse war nicht unerfahren in den Jongleurkünsten seiner Zeit. Abgesehen davon waren literarische Modelle für die Darstellung von Bundeserlebnissen vorhanden, obwohl die wirklichen Bestseller wie *Abällino* (Zschokke 1793), *Der Alte Überall und Nirgends* (Spieß 1792), *Der kluge Mann* (Cramer 1798), *Rinaldo Rinaldini* (Vulpius 1798) noch nicht im Umlauf waren. Es wäre aber zu sehr vereinfacht, wollte man dem *Genius* die Absicht unterlegen, daß er dem uneingeweihten Leser »die Manifestation der geheimen Kabinettspolitik« rivalisierender Mächte vorführen[52] und durch eine »Erlösung« des Helden das politische Bewußtsein des Bürgers stärken wollte. Grosses Herren und Damen sind keine Gesellschaft, die eine saubere Alltäglichkeit sucht und in ein Behagen an sich selbst und der Welt zurücksinken will. Der Genius unternimmt die Entdeckung von Untiefen der menschlichen Handlungsweise, was der belehrende Roman, der für andere Denk- und Lesergewohnheiten geschrieben ist, meidet.

Grosse hat seinem Roman durch den Titel von vornherein ein besonderes Kolorit gegeben. Er mutet dem Leser nicht die Geheimniskrämerei von »schwarzen« und »grauen« Brüdern zu, sondern stellt die Odyssee seiner Figuren unter die Regie eines sehr souveränen Regisseurs, der erst am Schluß vor den Vorhang tritt. Der Genius begleitet den Helden durch die scheinbaren Zufälle eines Schicksalsnetzes, warnt und schützt als Stimme am Rand, läßt die Paare zur Wiederholung antreten und klopft auch wieder ab. Was Zufall scheint, ist durchdachte Regie. Dieser Genius tritt nicht in der üblichen Galaadjustierung eines Bösewichts an Karlos heran, weder in den großen Mantel gehüllt noch als Magier mit dem unheimlichen Gelächter oder als Greis mit dem langen Bart. Er bleibt mehr oder minder die Stimme des Räsoneurs, die nie abwesend ist, die so nah ist, daß sie auch wieder täuscht, die nur aus »dem Wehen und Wallen« des Lichts zu uns dringt. Sparsam, aber in ganz exklusiver Aufmachung an den Knotenpunkten der Handlung eingesetzt, wird er ein »weißes Phantom« (I, 297), ein weißer Domino, der für einen Augenblick den Mantel auseinanderschlägt (II, 266). Erst das Sterben gibt ihm ein bekanntes Gesicht – die Züge des Bedienten Alfonso. Und in der Totenmaske, die das Bekannte auslöscht, tritt dahinter als ein Letztes das Gesicht des Grafen von M. hervor (IV, 20/21), das Elitegesicht eines Chefideologen des Geheimbundes. Grosse entlarvt ihn nicht, wie üblich, als Betrüger im Dienst einer eigennützigen Gesellschaft. Er wird überhaupt nicht entlarvt. Der Tod nimmt ihm nur die Last der Masken ab, die das Leben in der Welt dem Menschen aufzwingt.

Für das literarisch übliche Verbindungsspiel zwischen Bund und Held benützt Grosse nicht den Genius, sondern die dekorative Figur des trivialen Emissärs. Der alte Seelenfänger mit den funkelnden Augen, hinter denen Kälte und Leidenschaften liegen, wird von Jakob eingeführt: Der hagere Alte, der ein gewisses Grauen erweckt, wenn er in der Menge steht (I, 91, 93) und über die Köpfe hinwegschaut, vor dem selbst Jakob für einen Augenblick das Bewußtsein verliert. Grosse verzichtet auf keine technische Geschicklichkeit. Diese Opernfigur des Bundesromans tritt in der *story of suspense* auch wieder völlig abgeschminkt ins Tageslicht – mit Don Bernhard, der als Schelm unter Schelmen auch regelrecht entlarvt und bestraft wird.

Auch Rosalie, die Bundestochter, die grundsätzlich nie befriedigen darf, wird über die alte Lockvogelfunktion hinaus entwickelt, setzt Intrige in Hingabe um und tritt damit neben Franziska und Elmire in die Reihe der Frauen, die nie vergessen werden. Grosse verzichtet aber auf den trügerischen Gebrauch des Okkulten und der Geheimwissenschaften. Was die Romantiker gelesen haben, wird als gut und böse aus dem Menschen selbst herausgeholt. Das Strahlenbündel des Geschehens wird vom Genius zusammengehalten, der Unglück zu souveränem Glück macht, der das Unmögliche möglich macht und weiß, daß dem Genuß des Lebens die Spannung von Besitz und Verlust vorausgehen muß.

Das stellt auch den großen Bund hinter dem Genius in ein Labyrinth von Idealen, Täuschungen und Untergründigem. Die Brüder sind im Prinzip Menschen von hoher Tugend und einem weltbeherrschenden Geist – eine Gesellschaft »von apostolischer Menschlichkeit«. Sie kennen Güte und Brutalität, sie sind ebenso bizarr wie verbrecherisch. Sie sind eine Elite, die *engagé* ist, die von den Spannungen zur Gesellschaft lebt und insofern auch politisch denkt, als sie auf die Veränderung bestehender Ordnungsverhältnisse aus ist (I, 203). Aber auch der Bund wird nicht an bürgerlichen Normen gemessen und verurteilt. Seine Absichten werden demonstriert, seine Weltformel wird aber nicht politisch ausgewertet. Er brennt in sich aus. Die Labyrinthe bleiben leer. Das Undurchschaubare einer Opposition genügt. Sie ist Aufstand gegen das Autoritäre einer überalterten Gesellschaftsform, Revolte, die sich Gewalt anmaßt, die Menschen trennt, totsagt und wiederkehren läßt. Der Bund hat seine Zwiste, seine Verräter, seine Fanatiker. Von Vorbildlichem ist nicht die Rede. Und doch sind keine Karl Moors eingesetzt, die mit der Obrigkeit in Konflikt gerieten. Sie alle geraten nur mit sich selbst in Konflikt. Sie gehören zu Friedrich Schlegels Interessantem, wenn auch nicht zum Guten und Schönen. Soweit nach sozialen Aspekten gefragt werden soll, entspricht Grosses Roman keiner Gesellschaft mit Sündenabscheu und Sittenverbesserung, sondern einer Jugend von Provokateuren und Sündern, von der keine Stilgeschichte der Tugend zu erwarten ist.

Auch mit dem Aufmarsch des Bundes geht Grosse sparsam um. Nur zweimal tritt er voll in Erscheinung – als brutaler Gesetzgeber und Richter im ersten Band und im vierten

als Zug von festlichen Menschen »in langen weißen Gewändern, kunstlosen Locken, mit Blumen bekränzt«. Auch der Bund wird nicht entlarvt, sondern in eine Galavorführung Eleusischer Mysterien aufgelöst.
Manches in der Anordnung der Fakten entspricht gewissen Schablonen der Modeliteratur, aber ohne Anbiederung an den naiven Leser. Der *Genius* war eher eines der Bücher, das auch sein Gift enthielt. Sie sind in der literarischen Gewissenserforschung der Kritiker als Schund abgetan worden, weil sie vor humanistischen Wertkategorien versagen. Die Wirkung solcher Bücher kann aber nicht pauschal erledigt werden. Man mag seine Bedenken über »das Interessante, Frappante und auch Schockante« haben, aber eine Wirkungsästhetik ist vorhanden. Was uns in der Hand bleibt und was in diesem Buch auf die junge Generation gewirkt hat – Entsetzen, Grausamkeit, Melancholie, Träume – sind die verbotenen Dinge des Lebens, die weder verschwiegen noch rational erklärt werden können. Ob die Leser mit dem Geltenlassen dieser Faktoren und mit dem Verzicht auf einen strengen Moralismus deswegen auch Psychopathen waren, wie man gemeint hat, ist literarisch gleichgültig. Der Schrei, den der Lessingsche Laokoon noch zurückhält, wird geschrien, und unser Lebensraum wird ein Labyrinth aus Zufällen, Tiefen und Hintertreppen.

Grosse betrachtet seinen Roman nicht als Ware, die dem Konsumenten als herzhaft und bekömmlich angepriesen werden soll. Er betrachtet ihn nicht als Haushaltsgut. Er wirbt nicht um die gütige Teilnahme an einem Heldenschicksal, noch um den Applaus für menschliche Tugenden. Er weiß, daß das Buch nichts Vorbildliches und noch weniger Lehrhaftes ist. Er kennt gewisse Machtansprüche des Käufers und die Zudringlichkeit von Leserbriefen, ohne verbindlich zu reagieren. Er hält mehr von seiner Rolle als Schriftsteller. Er hat sich in Vor- und Nachwort wiederholt zu den Wertkategorien des Schreibens geäußert. Er will den Stoff seines Romans, der ihn einige Jahre beschäftigt hat, als »Verwicklungen und scheinbare Zufälle« gesehen wissen, die von »einer unsichtbaren Hand« gesteuert sind. Das heißt, im heutigen Sprachgebrauch gesagt, daß es sich um eine Lebensgeschichte handelt, zu der eine unstete krisenhafte Entwicklung gehört, daß die Zufälligkeit der Begegnungen ein Geschenk ist, das den Menschen zu neuen Anfängen zwingt, daß Krisen an sich notwendig zu unserer Existenz gehören. Er erfaßt in dem gewalttätigen Bundeserlebnis das Prinzip des Unheimlichen und Unberechenbaren und versucht sich in Denkmodellen einer manieristisch gefärbten Existenzphilosophie, die in der Krise Süchte und Tagträume produktiv arbeiten läßt. Durch dieses ausgesprochene Abrücken von der Vorstellung, daß sich Lebensvorgänge wie Paragraphen folgerichtig aneinanderreihen, unterscheidet sich dieser mit Talent geschriebene Roman von den billigen Moritaten der Trivialliteratur, die kunstgerecht aufgefädelt werden.

In den persönlichen Bemerkungen zum Entstehen seines Buchs steckt ein ungewöhnliches Wachsein für die handwerklichen Anforderungen des Schreibens, wie wir es von der Modeliteratur, die für den Massenkonsum naiver Leser bestimmt war, nicht erwarten dürften. Wo Grosse der Vorwurf von Dunkelheiten gemacht werden könnte, wie es auch geschehen ist, beruft er sich als belesener Weltmann auf Voltaire: »Le secret d'ennuyer est le secret de tout dire« (IV, 8). Er weiß besser als irgendeiner: Nur das Verborgene und nicht das Gesagte führt über sich selbst hinaus. Man kann den Narzißmus seiner Haltung nicht übersehen. Er spielt bereits mit einer Welt, in der er später selbst aufgeht. Auch Schriftstellersein ist eine Rolle, die mit gewissen Star-Allüren gespielt werden will. Grosse kennt den ästhetischen Auftrag einer Bandkonstruktion und gibt nur mit einer gewissen gezierten Bescheidenheit zu, daß es den vier Bänden an harmonischer Totalität fehle. An sich gehört die erstaunliche Breite der Anlage zu der labyrinthischen Irreführung, welche die ganze Handlung durchzieht. Er macht aber das Publikum, das unbedingt eine rationale Auflösung der Krisen erwartete, als ob sie höchstens Mißgeschick und Störung unserer Existenz wären, dafür verantwortlich. Um so mehr, versichert er, habe er oft »eine neue Sprache schaffen müssen«, zumindest schaffen wollen, um seiner Aufgabe gerecht zu werden. Und gerade die jungen Romantiker haben diese Sprache, die andere Bildungsvoraussetzungen hat als der billige Roman, schon bewußter gelesen als die zünftigen Kritiker. Grosse stellt im Vorwort zum vierten Band als Prinzip des Machens zwei Dinge fest: Rühren und Gefallen. Das setzt artistische Absichten voraus. Das Buch will erhitzen, entzücken, erschrecken, erschüttern und durch den Zuwachs von *meraviglia* und *terribilità* – durch Verfolgung, Mord, Maschinen, Grauen, Sexappeal, Idylle, Kloster – erregen und entspannen, aber nicht belehren. Lesen soll vor allem ein Genuß sein.

Das sind schon Leitsätze eines künstlich orientierten Machens, die aber vor der Gesinnungsinstanz der Kritiker keine Beachtung gefunden haben. Maßstäbe standen für die Konsumliteratur, die sich durchaus nicht an ein und dieselbe Leserschicht wendet, kaum zur Verfügung und fehlen auch heute noch. Die konventionellen Urteilsketten, die sich seit Rudolf Haym[53], der den *Genius* »einen Spukroman« nennt, eingestellt haben, können aber auch nicht als eine Urteilskrise betrachtet werden, die sich durch die Abhängigkeit von einer Industriegesellschaft eingestellt hätte, wie gemunkelt wurde. Ihr liegt etwas viel Einfacheres zugrunde. Kaum einer der Kritiker hat den Text des Romans wieder zur Hand genommen, ehe er die Frage nach der Qualität des Buches gestellt hat.

Grosse hat zumindest nach Strukturgesetzen gesucht, in denen die Verwandlung der Wirklichkeit vor sich geht und der Schriftsteller subtilere geistige Zusammenhänge entstehen lassen kann, als es die politischen einer Gesellschaft sind, die als Käufer fungiert. Der Käufer wird vom artifiziellen Produkt immer überfordert, ob er es bemerkt oder nicht. Das tatsächlich Erlebte, wie immer es heißen mag, ist grundsätzlich nur Rohstoff für die Aussageperson, die in der Darstellung Leben zu etwas macht, was artifiziell genußreich überlebt wird. Dem ist mit der moralischen Frage nach dem Nutzen für den Leser nicht beizukommen. Die Forderung nach dem therapeutischen Charakter eines Buchs geht an dem ästhetisch Wirksamen jeder Kunst – vom Trivialen bis zu Pop und Op – vorbei. Selbst wenn man über dem Luxus des Artistischen ein soziales Grimmen empfinden könnte, kann man nicht um die Tatsache herum, daß das Artifizielle eher aus dem Unbehagen an der Gesellschaft entsteht, denn aus dem Behagen an ihren Wertkategorien. Insofern ist jede aktuelle Literatur ein Protest gegen bestehende und überständige Formen, die der breiten Lesermasse als Gewohnheit und Maß wesentlich näher liegen. Im Rahmen der Trivialliteratur, die mit hohen Auflageziffern und mit dem Schmunzeln des Konsumenten rechnet, hat aber gerade der Bundesroman den Schritt in die Nachtseite unserer Existenz getan, womit er nicht unbedingt auf das Mäzenatentum des Durchschnitts rechnen durfte. Es fehlt aber auch bei Grosse nicht an gebrauchten und mißbrauchten Klischeeszenen, die mit dem Entzücken des Lesers über das emotionell Geläufige rechnen: Frauen drohen, sich in den Teich zu stürzen. Franziska, Elmire, Karoline bringen dem Geliebten das Kind zu, das während der Trennung herangewachsen ist. Und der kleine Junge pflückt Blumen und streckt sie dem Vater entgegen, der an dem Kind seine Augen und seinen Mund entdeckt. Aber damit fällt der Familienzauber auch wieder aus; und die Kinder bleiben am Wegrand zurück. Wir haben daher nach dem ambivalenten Charakter dieser Bücher zu fragen, denn in dem Mehrdeutigen, das zwischen Geheimnis und Verbrechen aufschießt, keimt auch schon das Lustprinzip am Virtuosen des Machens, dem wir heute mit einem anderen Verständnis entgegenkommen.

Bandeinsatz und Bandende sind deutlich markierte Gelenkstellen von struktureller Bedeutung. Der *Genius* beginnt mit einem Zeiteinsatz. Der Leser wird dadurch in die Erzählung mit hineingenommen und auf einen gewissen Unruhezustand der Personen eingestellt. Marquis und Graf begegnen einander wieder. Beide sind von Ereignissen gezeichnet, die noch nicht sagbar sind. Und der zweite Teil von Band III und IV fängt wieder mit einem Zeitschub an, der das Gestückelte der Bandstruktur nicht ganz verkleistern kann. Abgesehen von diesem Additionsverfahren von Zeitstrecken, das den Roman zu vier Bänden anschwellen läßt, setzt jeder Band mit einer Situation ein, die plötzlich auftritt, die von ungewöhnlicher Intensität ist, Gefahr in sich hat und Entscheidungen herausfordert. Elmire verblutet, ein Gesicht entzieht sich uns (II, 2), Amanuel liegt im Sterben, ein Gesicht wird erkannt (III, 332). Aus Frage und Antwort schält sich am Schluß des ersten Bandes (310/11) aus Schramme, Warze, Augen des unbekannten

Nachbarn Jakobs drohendes Gesicht heraus, und Karoline und Adelheid werden in der Maske der rotgekleideten Offiziere wiedergefunden (IV, 247). Dieses Kommen und Gehen von Gesichtern und Masken als absurder Rhythmus unseres Daseins wird zu Anfang des zweiten Bands etwas zwischen zwei Fragen – ist das noch Elmire? War das je Elmire? Die Flucht, der Schuß, das Sterben, das Wiedersehen – wo beginnen, wo enden die Täuschungen? Wir verlieren, was wir haben. Wir finden wieder, was wir nie verloren haben.

Neben dem Bericht und dem breit angelegten Einsatz der erlebten Rede ist der Dialog des Blitzlicht, das das Panorama der Ereignisse durchbricht. Er springt vom Imperfekt des Erzählens in das Präsens über, sprengt den gemessenen Satz mit Ausruf und Frage und aktualisiert den Vorgang. Der Graf warnt Karlos vor dem Degen, den er in der Hand hat:

> »Um Gotteswillen, Karlos, gehen Sie fort, gehen Sie gleich fort. – Hüten Sie sich doch! Sehen Sie denn kein Blut an mir? . . . Hüten Sie sich vor meiner Hand, vor meiner Rechten besonders. Rufen Sie meine Bedienten zusammen! Wehren Sie sich!« (I, 50/51)

Das Spritzige und auch Gerissene dieser Diktion setzt Grosse für Liebesgeständnisse ein (I, 117/18, 158/59). Sie werden mit dem Fluktuieren einer gewissen Koketterie gemacht: »Ich liebe . . . und wen? . . . ach einen jungen Mann . . . Sie sind sehr unglücklich . . . er ist auch schön . . . das ist noch viel trauriger . . . scherzen Sie itzt nicht mit mir, Marquis, denn er liebt mich nicht wieder« (I, 118). Und solche Geständnisse werden interpunktiert: »Sie schweigen? Sie weinen? O reden Sie doch mit mir!« (I, 67) Warnungen brechen in direkte Rede aus (I, 50/51), Gelöbnisse bekommen ihr Bedrohliches durch ein immer wiederholtes »ich schwöre« (I, 223/24).

Das Grundprinzip des Erzählens besteht in dem Zerlegen einer Bewegung in Teilbewegungen. Man blickt nicht einfach aus dem Fenster – er sprang auf, ging ans Fenster, stieß es auf (I, 45). Karlos tritt in die Hütte Jakobs. Der Frau am Herd fällt der Deckel aus der Hand, der Topf stürzt um, die Suppe strömt ins Feuer. Sie schreit, schiebt das Holz zusammen, die Flamme erlischt (I, 75). Der Überfall auf Don Bernhard (III, 332) wird in Segmenten deutlich: ein Schrei, sehen, erkennen, ein roter Rock, ein weißer Rock, stürzen, fallen, ein Dolch, ein Tod. Das Zeitwort bestimmt einen Satz nach dem andern. Der Beistrich dazwischen treibt geradezu an, bis die ganze Skala der Teilhandlungen abgespielt ist. Ein Musterbeispiel solcher Sprachmodelle ist die Wagenszene:

> Als ich herunterkomme, steht mein Wagen vor der Thüre, man steigt hinein, ich bin der vierte, man wartet auf mich, ich setze mich an meinen gewöhnlichen Platz, die Thür wird zugemacht, der Wagen geht fort. Voll von meiner Lustigkeit schäkere ich immer noch und plaudere ohne Aufhören. Man antwortet mir nicht; ich wundere mich allmählich, ich glaube indeß, man will seinen Spaß mit mir treiben. Aber auf einmal ist es, als würden meine Augen eröfnet, die drei neben mir sind ganz schwarz gekleidet und völlig verhüllt; ich denke nun nicht mehr an meine Freunde, es ist als wenn ich es fühle, in welcher Gesellschaft ich bin, die Stimme erstirbt mir im Munde; die Haare heben sich hoch empor; ein einziger Schauder ergreift den ganzen Körper, die Zähne fangen an zu klappern, die Knie aneinander zu schlagen. Aber dies Todtenschweigen wird durch nichts unterbrochen.
>
> Man bewegt sich endlich; der neben mir sitzt, zieht etwas hervor; er zerbricht die Spitze davon, und eine Lichtflamme fährt heraus und zündet das Ganze an. Die Gesichter enthüllen sich, barmherziger Gott! Ich erkenne sie wieder, es ist Jakob mit noch zwey andern aus der Höhle. Ich bin im Begriff in Ohnmacht zu fallen, aber drey blinkende Dolche, die auf mich gezückt sind, erhalten mich lebendig.
>
> »Kennst du uns?« ruft endlich Jakob mit schrecklicher Stimme aus. Hierauf verlöscht das Licht wieder. Ein Todtenschweigen. Man zieht endlich die Schnur am Wagen an, steigt heraus, befiehlt dem Kutscher weiter zu fahren und alles ist wie eine Erscheinung verschwunden. (II, 259)

Eine unerwartete Begegnung wird ganz und gar Filmaufnahme, welche die Eindeutigkeit des Vorgangs wieder völlig aufhebt. Ein Wagen steht, wartet, man steigt ein, setzt sich, macht die Türe zu, plaudert, keine Antwort. Der Vorgang selbst ist mit einem Wort ganz auf schwarz gestellt.
Das Rollen der Verben schlägt um in das Tönen der Substantiva. Haare knistern, Körper zittern, Zähne klappern, Knie schlagen aneinander. Aus dem Dunkel wird Licht, das Gesichter und Dolche enthüllt. Das Schweigen schlägt um in Stimmen. Ein Ausruf, eine Frage – zwei explosive Sprachformen.
Und nach diesem Ausnützen von Schatten- und Lichteffekten sinkt alles wieder in Schweigen und Schwarz zurück. Der Wagen wartet, man steigt aus, fährt weiter. Der Vorgang verliert seine Realität in einem – träum ich oder wach ich.
Dasselbe Sprachspiel kann auch mit dem Hauptwort getrieben werden. Statt Aktion nach Aktion füllt Gegenstand nach Gegenstand das Fiktionsfeld. Vor den Fenstern der Herren beginnt die Katzenmusik der Bauern (III, 255): einige Kuhhörner, eine Geige mit einer Saite, zwei oder drei Nachtwächterknarren, eine zersprungene Trommel, drei oder vier Glasscheiben, französische Buschpfeifen. Treibt das Verbum zu einem Heißlaufen in der Zeit, so dehnt die Überfülle an Gegenständen den Vorgang zu einem unheimlichen Stillestehen in der Zeit.
Grosse nimmt sich aber auch Zeit, eine Kulisse aufzustellen:

> (Der Einsiedler) schloß seine Gartenthür zu und ging vor mir vorauf in seine Hütte, sie zu öffnen, einen einfachen Sessel aus seinem Winkel hervorzuholen, ihn mit einer Matte zu bedecken, und ihn für mich im Schatten eines großen Ölbaums zu stellen . . . hierauf Wasser aus der Quelle geschöpft, und es nebst einem Körbchen mit Feigen, Pfirsichen und Weintrauben vor mir an der Erde hingestellt . . . setzte er sich selbst auf die Rasenbank. (II, 146)

und nun kann das Gespräch der zwei Spieler beginnen. Das Aufstellen des Gespensterapparats in der Kirche, das an sich schon eine burleske Handlung ist, wird ein Ausstattungsstück des Szenenaufbaus:

> eine große Elektrisiermaschine ... es fuhren zuerst große Funken aus dem Konduktor, und endlich aus einer Spitze ein ganzer elektrischer Strom. Überdem ließ man einen mit Harz und Schwefel bestrichenen, und so angezündeten Klumpen Werg, auf den in der Mitte befindlichen Kronleuchter herab, der einige Lichter im Augenblick anzündete ... hierauf warf man einige Fensterscheiben ein, die in die Kirche fielen, Türen sprangen auf und schlossen sich wieder; man ahmte das Geschrey von wüthenden Katzen nach ... in allen Ecken pfiff und zischte es; einige mit Phosphor bestrichene Tücher, die man hin und her schwang, erleuchteten noch dazu von Zeit zu Zeit den Raum. (III, 132)

In der Sprache der Leidenschaft und des Überschwangs setzt Grosse andere Modellbilder ein. Mit den Eigenschaftswörtern häufen sich die Obertöne, und im Satz stellen sich Doppelnoten und Triller ein. Der Einsiedler sprach zu Karlos »in stillen Nächten, im wehenden Schatten, beym Spiel des Mondscheins im Bache und nach der Ermüdung der Arbeit« (II, 180). Grosse kann den Satz in eine fast unerträgliche Koloratur hinauftreiben:

> Zu allen meinen Freuden folgte mir das lächelnde, wollüstige Ideal, in meine heimlichen Lauben, zum Geflüster des Baches, zum Blüthenregen der Bäume, zum Girren der Tauben, allenthalben nahm ich sie neben mir wahr, in süßer Ohnmacht, schön in sich selbst geschmiegt. (I, 247)

Und mit Amanuel stirbt

> der theure Gefährte jedes feurigen, verschlingenden Genuß, der entzückendsten Stunden einer heitern und häuslichen Philosophie, der Leiden betrogener und sich selbst betrügender Hoffnungen aller Kämpfe, Stürme, Gefahren eines tätigen Lebens. (IV, 16)

Wo Reflexion einsetzt und Umstände gedanklich durchleuchtet werden wie vor dem Sterben des Einsiedlers und Amanuels, treten Formen betonter Wiederholung auf, welche die Gedankenketten am Ich des Sprechers auffädeln. »Ich stand an der Spitze«, sagt Amanuel, ich führte, ich blieb, ich vermag, ich hielt, ich verwaltete (III, 22). Und wo der Einsiedler belehrt (II, 169 f.), häuft sich das »dazu gehört«, das in Wenn-Sätze übergeht, zu riesigen Satzballen anschwillt und sich in einem »Dann« und in einem »Du mußt« auflöst. Dazwischen steht der Strichpunkt, der trennt und mehr noch verbindet.

In den Roman sind wie in ein Familienalbum auffallend viele Personenbeschreibungen eingeklebt. Herren- und Damenbilder werden mit einer erstaunlichen Menschenkenntnis entworfen und vorgelegt. Sie stehen von vornherein als Turm, Läufer, Dame, Rössel im Spiel. Hände, Stirne, Augen, Gestalt und Lächeln leben auf. Urteilskraft, Witz, Anstand und Gewandtheit wird aus ihnen herausgelesen.

> Die Natur hatte sich gleichsam zum erstenmal in diesem schrecklichen Menschen erschöpft, sie hatte nun nichts mehr, was ihn zu rühren, was ihn einen Augenblick lang seiner Laufbahn zu entrücken im Stande gewesen wäre; wie ein Gott ging er thränenlos vor den gequälten Zuckungen der Menschheit vorüber; wie ein Gott sah er ohne Liebe, ohne Theilnahme, ohne Vermehrung seiner innern Glückseligkeit, seines geheimen Bewußtseyns allen Ergüssen der Freude und des Wohlbefindens zu, die er selbst um sich her verbreitet hatte. (II, 237)

Wie weit können wir in diesen Gesichtern lesen? Dringen wir durch die kalten Züge zu Don Bernhard selbst vor? Ist in den keuschen Zügen Franziskas nicht ein Widerspruch? Ist der Mann mit dem einen hellen und dem einen dunklen Auge ein Verführer oder ein Verführter? Sind sie alle maßlos wie der Herzog von S., der jede Träne in einen Genuß umschafft? Sie alle bedeuten nichts Geschlossenes. Auch der Einsiedler, der seine »geprüfte Tugend, die umfassende Menschenliebe, den bescheidenen Adel und die väterliche Anmuth« (II, 143) aus Leidenschaften und Schwermut gefiltert hat, ist nicht nur aus Tugend gemacht. Auch er hat

das Undurchsichtige der großen Welt gestreift. Das Menschenbild, vor das uns Grosse stellt, ist von klassischen Inhalten entleert. Die Labilität der Figuren, die von populären Voraussetzungen wesentlich abweicht, die uns weder vor den unbedingt guten oder den unbedingt bösen Menschen stellt und in keiner Weise auf eine geradlinige Entwicklung ausgeht, sondern jeden in seiner Art als Gegenstand einer gewissen Vielstimmigkeit faßt, hat fasziniert.
Nebenpersonen werden glattweg wie kleine über- oder unterbelichtete Momentaufnahmen eingesetzt: der Baron H. als Schürzenjäger und Feigling (III, 94), die Herzogin von B... (IV, 39) als Modeschönheit von Paris, die Landjunker von Derbyshire und aus der Mark als bare Provinzler (IV, 39), der Herr von R. als »Faselhans von Natur, verliebter Geck von Handwerk und überdem noch ein verunglückter Versemacher« (IV, 42).
Das Satzgefüge dieser Personenbeschreibung ist ungemein dicht gewoben. Es wächst durch Relativsätze, durch Um- und Partizipialkonstruktionen, durch ein, so daß, obgleich, denn, aber zu den hypotaktischen Großformen einer psychologischen Betrachtung heran. Eine gewisse Dichte wird auch durch die Addition von Hauptwörtern und Eigenschaftswörtern erreicht: »Diese immer junge Anmuth im dunklen Auge, dieser geschmeidige Mienenwechsel, dies lockende Lächeln, diese schöne Rundung, dies klare Kolorit« (II, 102) macht jedes Prädikat nebensächlich. Kunstvoll wird der Alte (I, 91) vor der Inschrift an der Kirchentür aus dem Gedränge und dem Gezischel der feindseligen Kirchenbesucher herausgearbeitet als der Mann in der Masse, den keine Menge verschlucken kann. Franziska wird in einer pretiösen Gretchenpose dargestellt – ein Kostümbild – den Kopf in die Hand gestützt, schmerzlich versunken, zerpflückt sie die späten Rosen – immer langsamer und langsamer – sie fallen in den Bach – und sie küßt die noch übrigen Blätter – läßt die Tränen darauffallen – und küßt sie wieder (I, 260).

Der *Genius* besitzt von Hause aus gewisse artistische Landschaftsmodelle, wie sie vom Trivialroman nicht unbedingt zu erwarten sind. Der Leser der Familien- und Ritterromane verlangt vor allem eine spannende Geschichte, einen jungen Helden und schöne Gedanken, die man beherzigen kann. Zürich, Trier, Prag, Bamberg, die Veste des Herzogs, das Palais des Erzbischofs, Ortsangaben, wie sie in den Romanen von C. H. Spieß auftauchen, sind für den Leser nur Namen aus einer verständlichen Nachbarschaft, an die eine Handlung angehängt werden kann und damit den Schein einer gewissen Glaubwürdigkeit erreicht:

> Schon ragten Lindaus Klosterthürme aus der Ebene empor; schon glänzte der große Bodensee, welcher solche umfloß, dem Auge des Reisenden gleich einer Silberdecke entgegen, als sie hinter sich eilende Roßtritte hörten. (C. H. Spieß, *Der Alte Überall und Nirgends*, S. 357)

Es ist eine Information, die den beängstigenden Sachverhalt lokalisiert und seine Spuren näher an uns heranbringt. Grosse verzichtet auf das Anheimelnde einer solchen Lokalblatt-Reportage und setzt für die Landschaft Zeichensysteme ein. Toledo, Madrid, Paris, Venedig sind Namen, die wie Fähnchen auf der Landkarte das Bewegungsfeld seiner Figuren abstecken, darüber hinaus zwar keinen wärmeren Lebensraum entstehen lassen, aber die Unruhe der Fremde und die Weite einer europäischen Kulisse ausstrahlen. Die Stadt an sich schweigt noch. Sie ist in ihren *terribilitàs* noch nicht entdeckt, nur in den *meraviglias* ihrer Feste.

Um die Schlösser herum entsteht aber die Landschaft der kunstvollen Parke und Gärten, die für die Herren und Damen der königliche Spielraum sind. In sie hinein öffnen sich die Fenster der Schlafzimmer, um die Nerven

> mit dem frischen Balsamdufte junger Liemonienblüthen zu stärken und dem Schlagen einer Nachtigall, die sich auf einem Lindenbaume dicht an meinem Fenster niedergelassen hatte, zuzulauschen. (I, 284)

Da ist aber auch an keiner Konvention gespart, die den Leser anziehen könnte. Da stehen Rasenbank und Laube, was nach dem Geschmack der Göttinger Professorentöchter war und in die Nachbarschaft der guten Stuben gehört. Rasenbank und Laube sind im *Genius* zwei unerläßliche Versatzstücke. In der Laube wird ewige Liebe geschworen, von daher kommen die Lautenlieder und die Seufzer einsamer Frauen. Auf der Rasenbank beginnt jede Aussprache und endet jede Ohnmacht. Mit ihnen schleicht sich statt der Grotten und Wasserkünste der abendländischen Renaissancegärten ein Requisit aus der empfindsamen Trivialität des Mittelstands ein, das auch der »Gartenlaube«, dem Familienblatt des Spätbürgers, noch seinen Namen gegeben hat.

Zum Prunkstück des Machens aus den unverwüstlichen Elementen des formalen Gartens wird das Liebhabertheater des Herzogs von S., das mit den Augen des Hofmechanikers gebaut ist. Das ist Kulisse aus Orangen- und Zitronenbäumen, mit Bächen in silbernen Röhren, die in berechneten Kurven in ein Alabasterbecken fallen, mit Bäumen, die mit Käfigen besetzt sind, in denen Nachtigallen schlagen – eine gemachte Landschaft für die gekünstelten Neptun- und Venusspiele einer gehobenen Gesellschaft.

Neben den formalen Gärten einer Eliteklasse steht die Ideallandschaft der Einsiedelei, in der alles auf die literarische Tradition der Idylle aufgebaut ist. Sie ist um eine Hütte im Tal eines schönen Hausgartens angelegt, hat ihren Bach, ihre Blumenbeete, eine Holunderlaube und eine Rasenbank. Es fehlen auch die zwei Ziegen nicht, die Milch liefern, und die Bienen, die die Waben mit Honig füllen (II, 184). Und dieses Paradies blüht nicht nur, es hat auch seine Früchte für den Hausbedarf – Feigen, Pfirsiche, Weintrauben – die arbeitsam und redlich jeden Tag mit Spaten und Hacke betreut werden wollen. Und doch entsteht keine arkadische Welt, die mit Schäfern und nicht mit Menschen gefüllt wäre. Es gibt keine Philomele, keine Nymphen, keine Luna, nur einen simplen Mond. Dieser moralische Ausschnitt aus der alten Ideallandschaft der Poesie kennt keine Schatten außer den Tod. Grosse hat dieses Kryptogramm »der genügsamen Freuden« nicht in den Bewegungsrhythmus der übrigen Landschaft hineingenommen. Er läßt es eine Landschaft sein, wo der Wind nur »leise durch die Blätter wandelt« (II, 172), wo die Abendluft nur »ein beklommenes Säuseln« hat, wo sich etwas »Schwärmerisches und Wehmütiges« (II, 181) einmischt, und die Vögel ihr Lied vergessen. Die Zeit steht in den Jahreszeiten still. Bewegung stockt: Die Idylle tönt nicht.

Als grundlegende Erfahrung erweist sich: Eine Landschaft, wie immer sie auch heißt, wird hergestellt, nicht abgeschrieben. Und diese Herstellung kommt aus einer »aufs höchste gespannten Einbildungskraft« (IV, 2, 131), der es um »geheime Reize« geht (III, 285). Sie konstruiert vor allem eine Landschaft, an der der Reisende nur vorbeistreicht.

> Die schönste Landschaft lag vor uns, aber ihre Schönheit bestand mehr noch in einem geheimen Reize, den ihr meine Seele verstohlen und ohne zu wissen mittheilte, als in der holden Mischung ihrer Theile. Rechts streckte ein schönes Landgut weite Gärten über das angrenzende Gebirge hinweg, ein sanftes Gemälde von Baumgruppen und kleinen Landhäusern zog sich an dem Abhange weg und verlief sich endlich im Thal. Ein rosenrother Morgennebel mischte sich noch mit dem bläulichen Kolorite des Hintergrundes, und wir entdeckten nur durch die einzelnen Risse oder Schwächen desselben, hin und wieder ein halbes Dorf, den untersten Theil eines Felsen oder Bäume mit ihren Wipfeln auf dem Duftmeere schwimmend. Das Schloß, dessen Anlagen wir auch nur theilweise erblickten, war uns sehr nahe, und die Morgensonne spiegelte sich in den vergoldeten Fenstern. Es war mit seinen hellgrünen Bäumen feenhaft wie auf den neblichten Hintergrund aufgeheftet. (III, 285)

Was rechts und links vom Wege liegt – Gärten, Baumgruppen, Häuser – entzieht sich immer wieder dem Zugriff. Was uns in der Hand bleibt, ist ein rosenroter Morgennebel über dem bläulichen Kolorit einer Fläche. Und aus ihm heraus ragt ein Baumwipfel, ein halbes Dorf, Dächer, vergoldete Fenster, Teile von Gegenständen, die den nackten Informationswert des Dinglichen in Chiffren umsetzen. Und auch dort, wo die Landschaft ganz nahe an uns herangerückt wird, steigt der feuchte Duft aus dem Teich auf und legt sich über die eindeutigen Umrisse der Dinge, die es kaum gibt. Was bleibt, ist der Mond, der sich in vielen Bildern spiegelt, die Welle, die nie stillsteht, die Uferlinie, die unter hängenden Blumen abreißt, ein schwimmendes Blatt, das der Bach verträgt. Die Landschaft ist diffus gesehen, in Bewegung und Helldunkel aufgelöst und durch das Zirpen, Schlüpfen, Glitschen der Tiere zum unüberhörbaren Tönen gebracht.

> Aus dem Teiche vor mir stieg der feuchte Duft in wunderbaren Gestalten auf und legte sich über den Rasen im Hintergrund her. Dann erhob sich der Mond bleich und wie im frischen Äther zitternd aus dem Gebüsche hervor und bespiegelte sich im Wellengekräusel der Fluthen unter sich. Sie spielten in silbernen Streifen um sein heiteres Bild, furchten alsdann plötzlich darüber hin, eilten einander nach, und verbargen sich endlich im Schilfe oder unter den herabhängenden Blumen des Ufers. Dann verlohr sich ein schwimmendes Blatt in den Silberschein, schwebte, als gefiel es sich darin, mit leisen Bebungen auf und nieder; ein schwaches neidisches Aufkräuseln der Fläche trug es hinweg . . . das verlohrene Zirpen eines sich aus dem allgemeinen Schlafe ermunternden Vogels, das Hindurchschlüpfen einer lauschenden Eidechse im starren Grase, ein mit dem Blatt herabfallendes Insekt, das Niederglitschen eines Erdtheilchens vom schroffen Ufer des Teiches, der Luft verhaltener und stockender Atemzug – vermischten meine Gefühle mit der Schöpfung erstarrter Bewegungen. (IV/2, 131)

Das ist eine beträchtliche Leistung Grosses. Der Trivialroman reicht durchschnittlich nicht weiter, als Spieß es kann:

> Schon stand der Vollmond am Himmel, schon zwitscherten die Grillen am Boden, schon sangen die Nachtigallen im dunklen Hain als Oliviens Dienerin sich ihr nahte. (Der Alte Überall und Nirgends, S. 172)

Keine Landschaft im *Genius* steht fertig da, wie aus dem Baukasten genommen. Bach, Wasserfall, Teich sind keine schlafenden Wasser. Sie sind in einem unaufhörlichen Kräuseln, Steigen, Fallen begriffen. Und so werden auch Bäume, Sträucher, Blumen, Vögel von Wind, Duft und Gewitter bewegt. Da ist ein »herbstliches Rauschen in den Bäumen, das Klirren der Fenster und Knarren der Thüren« (I, 59). »Das Laub lispelt einander zu und die Wipfel schütteln die überflüssigen Tropfen ab« (I, 45). Und was ergibt sich im Fensterausschnitt?

> Die Aussicht aus meinem Fenster beherrschte einen großen Theil des Gartens. Ein langer, bewachsener Weg führte in mehreren Windungen zu einigen trüb hervorschimmernden Gebäuden. Aus einem der nächsten von diesen schien der Gesang zu kommen, auch war es etwas heller in der Gegend. Meine ganze Aufmerksamkeit war daher auch hierauf gerichtet und nicht vergebens. Bald trat eine weiße Figur hervor, von dem Wuchs und dem Gang meiner Wirthin, mit einer Lampe in der Hand. Da die Luft etwas wehete, so hielt sie die Hand vor die Flamme, und gerade fiel der Schatten so unglücklich, daß ich nichts von ihrem Gesichte bemerken konnte. Als sie aber näher kam, bog sie seitwärts einen Scheideweg ein, ein Blick wandte sich zufällig nach meinem Fenster hin, sie sah mich darin, die Lampe fiel ihr aus den zitternden Händen, und mit einem lauten Geschrey verbarg sie sich im nächsten Gebüsch. (II, 60)

Im Fensterausschnitt steht ein Weg mit vielen Windungen, der auch wieder die Symmetrie aller Gärten unterbricht, eine Linie ohne Ziel, mit allen Begleitformen der Biegung, in einem Raum, der unbeschrieben bleibt. Der Garten tritt in seiner räumlichen Anlage nicht in Erscheinung. Er wird durch zwei Dinge greifbar: Durch den Gesang einer Frau und durch das Licht einer Lampe, die im Fallen verlöscht – der Garten wird gehört. Durch ihn geht nicht mehr das melodische Tönen einer Wasserorgel, wie sie der Renaissancegarten liebt, sondern das Staccato der Stimmen von

Menschen, Vögeln, Zweigen und Wind. Die Gegenstände der Welt, wie immer sie heißen, tönen, knistern, zirpen, zischen, sumsen, rauschen, rieseln. Und wir hören nicht nur den Bach, den Donner, den Schrei – selbst das »Atmen des Holzwurms« wird gehört (II, 85). Bewegung löst die starren Umrisse auf, entwickelt neue Linieneffekte, und im Tönen des Bewegten entsteht die fast romantische Notenschrift einer Landschaft, die mehr gehört als gesehen wird. Das Ohr der Menschen, das von Geheimnis und Täuschung bedrängt ist, horcht in die Umwelt hinaus, die aufgehört hat, nur eindeutige Mitteilung zu funken.

Grosse zieht sich gern auf das Geheimnis der Fußpfade und Umwege zurück, die vom Zufall gezeichnet sind, deren Anfang wir nicht sehen und deren Ende wir nicht ahnen. Es bleibt eine Urfrage des Erzählens: Woher kommen die Schritte? Wohin führen sie? Dieses Craquelée der Wege, das Grosse so gern durch die Landschaft legt, verrät, daß unter den Füßen des Helden der sichere Boden aufbricht. Das bedeutet eine neue Dimension, die aus dem Rätselraten der Geheimbünde und aus den Einfällen der Scharlatane entsteht. Die Helden stehen plötzlich vor einer Steinplatte, und dahinter liegen Gänge, die sich verengen, Treppen hinunter in eine geräumige Halle, in Spiegelsäle mit Kronleuchtern und schwarzverhangenen Wänden (I, 187, IV, 175).

> Ohngefähr einige 100 Schritte mochten zurückgelegt seyn, als sich das Ende des Ganges in eine geräumige Höhle erweiterte. Als wenn sie mit Krystallen ausgelegt wäre, brach sich hier der Glanz der Fackeln an den Wänden tausendfarbig umher, ein sanfter Schimmer hatte den ganzen Raum angefüllt, und gleich einer Verklärten, drängte sich Franziska mir wieder zur Seite. Aber alle diese Pracht war nur Vorbereitung zu einem noch glänzenderen Schauspiel. Die Höhle verengte sich wieder zu einem Eingange in ein anderes Gewölbe mit verdoppeltem Glanze. Zwei große starkbesetzte Kronleuchter senkten sich aus der Mitte in einen dicken magischen Dunst herab, welcher die Gegenstände nur auf einige Schritte weit erkennbar ließ.

So wie wir tiefer hineingeführt wurden, bemerkte ich an den Seitenwänden eine Menge von Spiegeln angebracht, welche auf einem schwarzen Tuchgrunde hingen. Vor uns war eine Erhöhung, mit einigen Sitzen an beyden Seiten, welche sämtlich mit Personen angefüllt schienen. Unter den Leuchtern selbst standen endlich zwey Stühle, beinahe am Rande eines geräumigen, in der Mitte befindlichen Loches. (I, 32)

Die Menschen, »deren Leben niemals einen langen Ruhepunkt hat« (IV, 3), stehen in einer Landschaft von Labyrinthen und Spiegeln, in denen sich Ängste und Träume vervielfältigen und undurchschaubar entstellen, aus der die Inschriften und die mit Blut beschriebenen Zettel kommen, die erst entziffert werden müssen. Was kann überhaupt nur dem Buchstaben nach gelesen werden? Was enthält nichts als eine Mitteilung? Was öffnet sich ohne Täuschung?

In dieser ungeahnten Parallele der Linien zwischen der Oberfläche unserer Tage und den seltenen Tiefen, durch die wir irren, wird das Unheimliche der Geraden deutlich, auf der wir uns verstandesmäßig entlangzubewegen scheinen. Die Gerade, die Kurve, das Gebrochene der Stufen erschrecken. Mit diesem Griff in die Tiefe des Raums, in der Fackel und Spiegel die Sonne und die Sterne kunstvoll ersetzen, beginnt eine neue Landschaft: die Landschaft des Unbekannten. Grosse konstruiert ein Landschaftsmodell, in dem das Logengeheimnis der Hochgradorden artistisch wirksam wird. So wie der Geheimbund in Mysterien eintaucht, die aus Staunen und Täuschung gemacht sind, so entsteht auch eine Landschaft, deren Tiefe aufgerissen ist, aus der die Verzückungen und die Schrecken des Bösen heraufsteigen.

Die Atemlosigkeit einer solchen Darstellung will intensiviert werden. Sie lebt sprachlich sehr oft vom Tremulieren der Komparative, in denen Nuance und Spannung ausgebeutet werden. Ein Weg ist nicht breit oder schmal. Er wird breiter und breiter (II, 94), die Sterne werden heller und herrlicher (I, 257), die Nacht wird leiser und leiser (IV, 131). Ein Gewitter wird ganz auf dieser Ebene aufgebaut.

> Das Gewitter war indes immer heftiger geworden, die Nacht immer dunkler und undurchsichtiger, die Blitze wurden schneller und farbiger, die Donner verstärkten und vereinfachten sich. Und doch trieb ich mein Pferd immer eiliger an, dem heftigsten Sturm und ganzen Wasserwolken entgegen. (II, 22)

Der Gegenstand wird ausgelöscht von Schatten, Wolken, Nebel, die alles schwer benennbar machen. Was durch das Mondlicht erreicht wird, ist nicht Stimmungszauber und unschuldiger Augenaufschlag des Helden, sondern eine gewisse Deformation des Gegenständlichen. Das sind neue Werte des Machens aus einem an sich noch sehr bescheidenen Inventar von Requisiten. Kerzen, Fackeln, Blitze holen zu Schockwirkungen aus, stellen uns vor gelbrote Nebel, vor ein dunkleres Blau und ein gestufteres Grün, das sich dem glatten Uni der Existenz widersetzt.
Die Nachtbilder sind nach zwei Seiten hin perspektivisch verzerrt – unterbelichtet als Mitternachtsstunde, überbelichtet als Gewitternacht. Das ist keine Naturbeschreibung, auch kein Naturgefühl. Das sind Beat-Töne der Komposition, welche die hysterischen Angstschreie des Lesers herausholen wollen. Wenn die Blitze einsetzen und die Donner rollen, ist das Signal gegeben für den Auftritt einer Figur, die Mantel und Maske noch nicht abgelegt hat, für das Aufleuchten eines Fensters, hinter dem sich das Unerwartete verbirgt. Im dritten und vierten Teil des *Genius,* der vom ursprünglichen Plan weiter abrückt, wird diese Nachtkulisse umgestellt auf das Szenarium der Komik für plumpe Liebesabenteuer in den kleinen verrufenen Gassen der Stadt: schamhafte Schreie der Damen, halbnackte Kavaliere, die aus den Fenstern steigen, Degen bleiben in der Ecke stehen, Türen werden aufgerissen unter unflätigem Gelächter, Kutscher und Ladendiener kommen in Hemden und Schlafmützen gelaufen.

Grosse hat kein Bedürfnis nach empfindsamen Effekten. Da kann weder von der Echtheit oder Tiefe eines Gefühls noch von einer religiösen Erfahrung die Rede sein. Der Sonntagsbummler wird nirgends zum Verweilen eingeladen. Der Reiter wirft noch einen Blick zurück auf den Ort, der sich schon ins Verlassensein zurückzieht, und er wirft einen Blick voraus auf die Dinge, die auf ihn zukommen. Die Landschaft besitzt ebensowenig eine Gegenwart wie die Handlung des Romans, die, mit Distanz erzählt, immer wieder vom Gestern auf das Morgen überspringt. Das Gewesene und das Kommende entziehen sich naturgemäß dem genüßlichen Stillstehen einer Beschreibung. Naturfragmente werden nicht einmal Schmuck des Romans. Sie markieren ohne Sudelei das Kommen und Gehen von Helden, die nicht mehr seßhaft sind. Sie bleiben ein zitternder Hintergrund für die Zufälle, vor denen der Vorhang aufgeht. Was sich auftut, ist eine grundsätzlich flache Landschaft, durch die der Bach einen Strich zieht. Grosse bleibt bei einer horizontalen Landschaft ohne die Vertikale des Gebirges. Er verzichtet auf eine Felsenanlage, auf Ruinen, auch auf den hochgewachsenen Wald, den er noch als Gefahrenzone verwendet. Die Geheimnisse der Landschaft sind auf das Labyrinth unter der Erde gestellt, das die aktive Linie der Menschenwege in Umwegen umkreist und ins Imaginäre verkritzelt. Der Gegenstand des Romans sind die unbekannten Täter und für Grosse auch schon das Unbekannte selbst, das Willi Baumeister in den Mittelpunkt von Suchen und Finden gestellt hat.[54]

Wir genießen Grosses *Genius* nicht mehr mit derselben Atemlosigkeit, wie sie die romantische Jugend gekannt hat, die noch vor ihrer eigenen Entwicklung zum Interessanten und Schockanten stand, die wir schon hinter uns haben. Aber von diesem Roman gehen Impulse aus, die, mit den Augen von heute gesehen, an literarischem Gewicht gewonnen haben. Wir können Verbindungen feststellen, die eine Kontinuität des Unverbundenen und scheinbar Unverbindlichen besagen, nach dem noch immer unpopulären Grundsatz: »Die neue Zeit muß uns die alte und umgekehrt die alte die neue erklären«.[55]

Gustav René Hocke verweist darauf, daß zwischen 1540 und 1560 eine Greuelliteratur bestand, deren Angelegenheit die Inszenierung schauerlicher Effekte war, was sich als Vulgärmanierismus eines Massenzeitalters erweist. Und im Spielraum der napoleonischen Massenbewegung wird im Bundesroman des 18. Jahrhunderts eine untergründige Verbindung sichtbar, durch die der Manierismus des 16. Jahrhunderts wieder als Vulgärmanierismus an die Oberfläche steigt und in der Romantik den Manierismus einer bürgerlichen Kultur auslöst.

In Grosses Roman werden in vorwärts- und rückwärtslaufenden Strängen des Erzählens die Grenzen einer ausschließlich soziologischen Kritik sichtbar. Das Buch kann nicht nur mit Verstand gelesen werden. Im Spiel mit der Leere und Überfülle des Raums, in der Bewegung vom Grauen zur Idylle, vom Mord zur Erkenntnis, im Helldunkel der Vorgänge und der Charaktere, in der Zwielichtigkeit von Maske, Spiel und Schock liegen Dinge, die nicht einfach entlarvt, sondern mit geschickten Fingern dechiffriert werden wollen. Nüchternheit und Ekstase, enthüllen und verhüllen, *meraviglia* und *terribilità* stehen nebeneinander und können auch wieder gegeneinander ausgetauscht werden. Der listenreiche Alltag erhält seine wunderlichen Schatten, seine problematischen Umstände und die Künstlichkeit von Labyrinthen und Hieroglyphen, die an den Kirchentüren stehen, die in den Tisch der Laube und in Fensterscheiben geritzt sind. Spiegelsäle geben dem Menschen nicht nur ein Gesicht, sie geben ihm viele Gesichter. Und in diesen Gesichtern von üblicher Anmut sitzt aber auch schon etwas Paradoxes, das die Züge der Herren und Damen in Lachen und Weinen verrätselt. Die ursprünglich leicht faßliche Verborgenheit der geheimen Gesellschaften wird aus dem Aufgeklärten des Verstandes ins Manieristische der Vorstellung übersetzt. Die Intrige wird Krise, das Seltsame und auch Absurde wird ein Teil unserer Existenz.

Der *Genius* in seiner auffallenden Endlosigkeit hat an sich eine labyrinthische Führung, die an den Bruchstellen der Bandstruktur besonders sichtbar wird und nicht nur auf Leserproteste zurückzuführen ist. Grosse verfällt mit den Verzerrungen des Rituals, mit der Vorliebe für *terribilità* und *stupore,* mit dem Hieroglyphencharakter der Ereignisse und den hamletartigen Gesichtern dem Prinzip des manieristischen Monster-Romans. Es geht dabei nicht um die Folgerichtigkeit bürgerlicher Lebensläufe, auch nicht um die Kritik einer Gesellschaftsordnung, sondern um eine artifizielle Auseinandersetzung mit dem Unvorhergesehenen, das uns überfällt. Wir werden aber auch nicht vor Wunder gestellt, sondern vor Begegnungen, die gefährlich und unabwendbar sind. Grosse begnügt sich nicht mit plumpen Täuschungen, die der Verstand wie ein Kreuzworträtsel löst. Er hebt aus der traditionellen Maschinerie die Krisensituation heraus, die neue Spannungsfelder ergibt und vor lebenswichtige Entscheidungen stellt. Durch eine manieristische Erzählform, in der die Ausweitung der herkömmlichen Vorstellungen erfolgt, setzt sich der *Genius* nicht nur vom belehrenden Familienroman ab, sondern auch vom populären Bundesroman, der das aufgeklärte Konzept zwar erschüttert, aber durch Entlarvung und Bestrafung des Bösen in moralisierende Lösungen zurückfällt.

Der *Genius* öffnet über das Vorbildliche hinweg den Zugang zum Unbekannten, ohne daß der Held schon bereit wäre, den Boden des Bösen willig zu betreten. Da ist noch Wehr dagegen und Neugierde, die hinter dem Erstaunlichen das Walzwerk von Intrigen entdecken möchte. Aber Grosse entlarvt nicht, er geht nur bis zum Fragezeichen: Können wir entlarven? Liegt hinter jeder Maske schon das nackte Gesicht? Gibt es auf jede Frage eine Antwort? Nur eine Antwort?

# William Lovell

Die Geburtsstunde des *William Lovell* hat eine ungewöhnlich aufschlußreiche Konstellation. Die erste Ausgabe des Buchs, das schon 1792 geplant und 1793 begonnen wurde, erfolgt 1795/96. Zwischen 1790 und 95 erschienen *Alla-Moddin, Ryno, Almansur, Abdallah,* eine Bearbeitung von Shakespeares *Sturm,* die *Straußfedern, Peter Lebrecht,* der *Blaubart,* die *Haymonskinder.* Und von da war nur noch ein Schritt zu den *Phantasien über die Kunst* und zu *Sternbald.* A. v. Arnim hat noch aus der unmittelbaren Nachbarschaft heraus eine eindeutige Reaktion. Er schreibt an Brentano: »Ich habe zwei merkwürdige Bücher gelesen: Jacobis Woldemar und Tiecks Lovell ... der Lovell überragt ihn unendlich ... eine Fülle an Neuheit und Poesie, welch eine himmlische Saat auf dem dürren alten Richardsonschen Felde.«[56]

In der kritischen Darstellung der Romantik steigen aber Zweifel an dieser scharfen Abkehr von der Idyllik des Familienromans auf. Man weiß, daß diese Jugend belesen war. Sie hat Trivialliteratur gekannt, Richardson, Fielding, Smollett, Cervantes, Shakespeare, Ben Jonson. Sie hat an Heinses *Ardinghello,* Goethes *Werther,* Moritz' *Anton Reiser* spekulieren gelernt. Man hat sich gefragt: Ist Lovell der alte Lovelace, der Verführer in Richardsons *Clarissa,* soll er ein neuer *Agathon* (Wieland) sein, ist Rétif de la Bretonne die Vorlage für alle Unmoral gewesen? Und man gerät in Verlegenheit, wenn selbst Schiller Goethe beichtet, daß er Rétifs *Coeur humain dêvoilé* zu den Büchern von unschätzbarem Wert rechne.[57] Auch der persönliche Umgang Tiecks schneidet durch widerspruchsvolle Kreise hindurch: Nicolai, Rahel Levin, Rambach, Bernhardi, Burgsdorff, Friedrich Schlegel. Das eine wie das andere erschien eine verdächtige Reichweite, die auf Bedenken gefaßt sein mußte. Es ist natürlich auch die Frage nach der Selbstdarstellung des Autors nicht ausgeblieben, die das Schwierige des Buchs als ungesund zu erledigen suchte. So weit über die Beziehung zur Gesellschaft etwas zu sagen ist, hat Tieck im Vorwort (XV, XVI) die Marktlage präzisiert: auf der einen Seite das Rückständige der Kulturkonservativen und auf der anderen das Piratentum der Modischen. Auf der einen Seite »die ruhigen, kälteren, einfacheren, wahreren Menschen, die allen jenen Truggestalten Lebewohl gesagt haben, aber dafür in einer engen traurigen Umgrenzung lebten, die man ihnen nicht beneiden konnte«. Wer aber die Scheingefechte der Opposition verschmähte, »mußte sich bei jenen schwachen, unwissenden trübselig Wohlwollenden einbürgern«. Und was für den, der nicht rechts oder links Partei sein wollte? Damit geht das Rätselraten um Tieck an. Ist er ein Aufklärer? ein Plagiator? ein Krimischreiber? ein Psychopath? ein Romantiker? Was für ein »sittliches oder poetisches Interesse«, fragt Haym[58], hätte die Darstellung eines gänzlich charakterlosen Menschen wie William Lovell haben können? Darauf soll der Text antworten.

Ohne sich in das Schmeichelhafte eines Tagebuchs zurückzuziehen, wird das Buch in Briefen geschrieben, was kein neuer Einfall ist. Der junge Tieck greift nach einem hundertfach erprobten Muster, das ihm in seiner lockeren Form die größten Möglichkeiten für eine existentielle Aussage bietet. Der Briefschreiber schließt sich in Geständnissen, Widerspruch und Wunsch vertraulich auf. Briefe haben sozusagen keinen literarischen Autor, der sichtbar wird, und kein Publikum, das angesprochen wird. Sie werden von den Personen des Romans geschrieben, und zwischen dem Schreiber und dem Geschriebenen besteht keine Distanz. Es gibt nur einen Schreiber und nur einen Empfänger, nur eine Zeit – die

Gegenwart, die im Präsens des Erzählens ausgedrückt wird. Der Brief selbst kann vom Bericht zur Reflexion springen, vom Zweifel zur Forderung, vom Trübsinn zur Ausgelassenheit. Der Brief macht Gebrauch von den Jongleurkünsten der Sprache, erlaubt die Unregelmäßigkeit von Zufall und Laune, in der das Verspielte und auch das Gequälte Platz hat. Ein Gespräch kann erzählt werden, Gedichte können eingelegt werden, philosophische Systeme können aufgebaut und zerstört werden. Hinter alles kann ein Vielleicht gesetzt werden, ein Fragezeichen und ein Rufzeichen. Es kann von Liebe, Haß, Angst, Mord die Rede sein. Im selben Brief kann Selbstschöpfung und Selbstvernichtung stehen. Nichts ist endgültig, alles bleibt Fragment. Lovells Briefe sind aber auch längst nicht mehr der schön stilisierte Bericht von einem Ich für ein Du, wie ihn der Briefkult von Richardson bis Jacobi gekannt hat. Sie sind die ideale Form, Krisenzustände auszudrücken. Lovell gibt in einem Brief an Rosa (II, 27), die ironische Definition des Briefschreibens: »Man vergißt über Worte sich und alles übrige, wir sprechen selten von uns selbst, sondern meist nur darüber, wie wir von uns sprechen könnten; jeder Brief ist eine Abhandlung voll erlogener Sätze mit einem falschen Titel überschrieben.« Soweit über diese liederlichen Monologe hinaus die Vorgeschichte der Umstände zu klären ist, sind Aufzeichnungen der Väter eingefügt, aus denen die Belastung der Söhne erhellt.

*William Lovell* ist überdies ein Reiseroman, der in der Verschiebung von Ort zu Ort das Erwartete und das Unerwartete aneinanderreiht. Auch das ist nicht neu. Der Ort selbst bleibt aber ohne das Stigma eines Milieus, das für Lovell von vornherein eine Verpflichtung zu einer bestimmten Lebensform, zu einer moralischen Richtlinie wäre. Die Bildungsreise des Kavaliers, die Lovells Vater wünscht, wird für den Sohn aus begütertem Großbürgertum eine Zerreißprobe. Von allem Anfang an entsteht statt einer geradlinigen Entwicklung der Person zu einer harmonisch

gerundeten Persönlichkeit, die nur auf ihr Stichwort im Zusammenspiel der Gesellschaft wartet, das Leben von Menschen, die sich von ihr immer wieder losreißen.
Der Lebensraum der Figuren ist in zwei Blöcke aufgespalten: in das Land der guten Stuben und in die Städte der Spieler und des Elends. Provinz und Stadt als feindliche Spielfelder der Figuren beginnen sich unmißverständlich gegeneinander abzusetzen.
Der Roman ist in seiner letzten Fassung (Schriften, Berlin 1828) in zwei Bänden von je fünf Büchern angelegt. Strukturgemäß und damit entscheidend verklammert endet der Roman, wie er begonnen hat, mit der Fatamorgana der Stille in den Hausgärten und mit der tröstlichen Sicherheit des Besitzens – aber auch mit der Tatsache, daß Sicherheit nur relativ ist. Das ist neu. *Die Geschichte des Herrn William Lovell,* wie das Buch anfänglich hieß, verläuft vom Menschlichen zum Allzumenschlichen, spricht vom Unverrückbaren als verrückbar, womit wir uns zumindest abzufinden haben. Die Namen, die Tieck gewählt hat, deuten einen englischen Hintergrund an, der für ein aufgeklärtes Bürgertum keinen Zweifel an dem moralisch Gesicherten und dem puritanisch Geradlinigen der Existenz aufkommen läßt – und mit Erfolg. Es hat einen Rezensenten dazu gebracht, in dem Buch eine Übersetzung aus dem Englischen zu vermuten, die an Übersetzungsfehlern deutlich würde. Die Handlung geht von Bondly und Roger-place aus, von einem Boden stärkster Tradition, der Mäßigung und Pflichtbewußtsein voraussetzt. Das sind die kleinen Orte, die kaum beschrieben werden müssen. Man kennt sie. »Zwar ist die Gegend schön«, schreibt Wilmont an Mortimer (I, 4), »der Garten angenehm, auch veranstaltet uns der Himmel manchen prächtigen Sonnenuntergang, aber –«, es passiert nichts, und es soll nichts passieren. Und die Menschen, das ist nicht mehr Adel, der auf Schlössern und in Parken die Tage verspielt, sondern ein beglaubigtes Patriziertum, das die Ertragsfähigkeit seiner Gärten modernisiert und sich

in gutgezogenen Erben fortsetzen will. Auch diese Sicherheit ist relativ.
Man reist in der Chaise von Bondly nach London und von London nach Bondly. Man steigt bei Verwandten ab und bleibt unter sich. Man vermißt den Teich und die Laube und wird von den Stadtstraßen nur verwirrt. Zu diesen Bürgern gehören Besitz und Vermögen. Sie sind mit Prozessen über Mitgift und Erbschaft beschäftigt. Ehen werden nicht mehr im Himmel geschlosesn, sondern beim Anwalt. Kinder werden zur Genügsamkeit erzogen; Väter, die alt die Freude erleben, daß ihre Kinder, wie vorgesehen, standesgemäß heiraten, führen ernsthaft das Ausgabenbuch und überlassen den Frauen Kirchgang und Armenpflege. Frauen wie Betty (II, 186) sind »ein reizendes Bild der Unschuld«. Sie freuen sich, daß sie den Ehemann beim Vornamen nennen, täglich mit ihm an den Waldrand gehen und zu Hause den Tee eingießen dürfen (II, 147). Diese Frauen treten erst mit Ehe und Mutterschaft hervor, die ihnen Gewicht gibt. Der Bogen ist weit gespannt von Wilmonts unbändiger Langeweile über »das ewige Einerlei« in Bondly bis zu den Dienern »von vorbildlicher Gottesfurcht«, die die Handlungen der Herrschaft mit der Biederkeit moralischer Gemeinplätze kommentieren und das Buch mit einem tragikomischen Geklimper durchsetzen.
Bondly hat seine Stimmen und Gegenstimmen. Von einem sentimentalen Hang zur Natur ist bei Tieck in der Darstellung des Landlebens keine Rede. Thema ist nicht die Natur, sondern die Provinz, die der Wertung, aber auch schon der Abwertung unterliegt. Mortimer schreibt aus der kleinen Stadt nach Hause: »Ich wünsche oft in Glascow mit Sehnsucht, daß ein Gezänk oder Schlägerei auf der Gasse vorfallen möchte, damit ich nur etwas hätte, wofür ich mich interessieren könnte; es ward mir am Ende wichtig, wenn der dicke Mann im Nachbarhaus einen anderen Rock als gewöhnlich trug. Ich schäme mich noch jetzt dieses Lebens, so qualvoll und langsam, so schleichend und doch so ohne

Ruhe« (I, 232). Landschaftsmodelle sind mit großer Zurückhaltung eingesetzt. Bondly braucht etwas Mondschein, braucht den Wald, in dem man Abschied nimmt, die Linde, in die man die unvergeßlichen Namen einschneidet. Es muß auch Rosen geben, die man mit Entzücken an die Lippen drückt. Es braucht seine sentimentalen Plätze, vor denen Lovell bei seiner Rückkehr wieder steht, aber »alle diese Plätze sind stumm geworden, ich finde sie widerwärtig und armselig, da sie mir damals so teuer, so überaus teuer waren« (II, 93). Klar ist eines: Man steht nie wieder an demselben Platz. Man kehrt nie an denselben Punkt zurück, wenn es auch derselbe Ort ist. Man hat sich etwas erwartet. Man hat sich etwas anderes erwartet. Die harmonischen Kreise brechen auf, schließen sich nicht mehr und werden zur Spirale des nie zufriedenen und intensiven Lebens. Am wichtigsten werden am Ende die Gärten, die keine künstlichen Parkanlagen sind, sondern nützliche Gärten, deren Rentabilität gepflegt wird. »Die alten Linden, die vertrocknet waren«, schreibt Blackstone an Mortimer, »sind abgehauen und ausgegraben, es fand sich der Name Ihrer Gemahlin in der einen, neben ihr stand Lovell eingeschnitten; man hat junge Birken dort gesetzt; der Teich ist ausgetrocknet, weil der Garten doch an Wasser Überfluß hat; einiges Nadelholz am Abhange der Berge ist fortgeschafft, weil es eben die herrliche Aussicht einschränkt« (II, 241). Auch eine Aussicht hat ihre sehr relativen Voraussetzungen. Die Stadt, die für Lovell zum Spielraum wird, ist eine Gefahrenzone, für die es noch kein greifbares Baumodell gibt. Sie ist aber mit großen Namen eingesetzt, in der nichts der Sicherheit fernerstehen könnte als der Zufall von Begegnungen, der sich täglich ergibt. Paris bleibt ein Steinhaufen, über dem der Himmel tief herabhängt. Rom geht als die Stadt der großen Vergangenheit auf, die in »Gold und Purpur« brennt, in die aber auch schon die Schatten und Ruinen des Trivialromans hineingestellt sind. Städte sind fürs erste eine Zuflucht der Unersättlichen, die ihnen aber immer wieder verlorengeht, wenn sie am Abend die Koffer schließen und die Zimmer leer werden. Gespräche von gestern hängen noch in der Luft, während der Gasthof ihre Namen in seinen Listen schon abgestrichen hat. Da beginnt die Stadt zu stöhnen. Sie weigert sich, Staunen und Entzücken zur Gewohnheit der Menschen werden zu lassen. Erst nachdem Lovell Bondly endgültig abschreibt und Paris und Rom zum zweitenmal betritt, bricht die Stadt in das betörende Getöse von Brunnen, Schritten und Stimmen aus. »Hier in den betäubenden Zirkeln«, schreibt er an Rosa, »in denen sich alle Maschinen auf das lebendigste bewegen, und jeder den andern durch witzige Einfälle oder durch Reichtum, oder Glück, oder Schönheit verdrängt, hier in diesen bunten abwechselnden Szenen ist mir um vieles besser« (II, 183).

Mit Buch 2 beginnt die Reise Lovells. Paris erfaßt ihn nicht ohne Widerstand. Bondly und Amalie binden noch, aber die Fäden werden aufgelockert. Die Schraube der Verwicklungen wird eingesetzt. Die Comtesse Blainville spinnt ihn bewußt in ein leichtes Leben ein. Rosa, der intellektuelle Beau Brummell der Stadt, rückt näher an ihn heran. Paris hat ihn durch Bianca und Laura mit anrüchigen Liebschaften am Rande erfaßt. Und doch bleibt es ein Männerbuch, in dem sich Lovell zwar an die Sphäre der Frauen verliert, sich aber aus ihr auch wieder völlig zurückholt. Rom nimmt ihn ganz. Bondly ist vergessen, Rosa sein täglicher Begleiter. Aus dem Klima der ewigen Stadt entsteht eine gekünstelte Rosalinen-Idylle, in der noch einmal das ländliche Gärtchen aufblüht, an dessen Zaun die Malven stehen. Es ist aber das Spiel, das nicht mehr gespielt werden kann. Lovell jagt von Verliebtheit zu Verführung, Eifersucht, Mord. Tugend und Glück sind nicht mehr identisch. Bondly hat keine Worte dafür. Aus den Briefen der alten Freunde sickert es durch: Lovell ist keiner wie Du und Ich. Die Figuren aus den guten Stuben stehen unverrückbar im Raum. Amalie heiratet den gesetzten Mortimer, Wilmont wirbt um Emilie, die Väter sterben ab, die Prozesse sind gewonnen und verloren, Testamente gehen von Hand zu Hand. Willi, der Diener, trennt sich von seinem liederlichen Herrn und reist heim. Der erste Band des Romans schließt mit einer deutlichen Entfremdung von Stadt und Provinz.

Der zweite Band, der mit dem sechsten Buch beginnt, schaltet vom Reiseroman auf den Bundesroman um. Die Handlung ist sorgfältig vorbereitet durch Hinweise auf den Mann Waterloo, der das Leben der Seßhaften einmal gestreift hat und für sie verstorben ist (I, 144), durch das Gemälde eines Mannes mit »eisernen Zügen« (I, 155), vor dem Lovell schon als Kind erschrickt, durch Balders Angstzustände über Schritte in der Nacht (I, 172), durch zwei Briefe von Andrea und Rosa (I, 239/242), die Bundesumtriebe andeuten. Übernommen aus dem Bundesroman sind die Mitternachtsstunden, in denen die Begegnungen erfolgen, die geheimen Botschaften und Überfälle, die Schatten, die durchs Zimmer gehen, die Vergessenen, die plötzlich neben uns im Wagen sitzen. Der Tod des Vaters dreht die Reise zurück. Lovell geht blind durch Paris, ist von London befremdet und geht in Bondly wieder die alten Wege. Kann man alte Wege gehen? Niemand erkennt ihn außer Emilie. Parallel zum römischen Rosalinen-Idyll im vierten Buch wird im achten in der Emilien-Episode die Tragikomik von Bondly eingelegt, ein kaltschnäuziges Kapitel gegen ein überempfindsames. Emilie, die Lovell längst abgeschmackt findet, flieht mit ihm. Sie versucht aus den guten Stuben auszubrechen, ohne die Sentimentalitäten zurückzulassen, mit denen man nur in Bondly leben kann. Er verläßt sie im Elend, er ist am Tod von Willi schuld, er rettet Amalie aus dem brennenden Haus und verschwindet für immer. Sie haben im Grunde alle versagt und an dem Wort geknausert, das ihn hätte zurückhalten können. Die Idylle der Provinz ist durchschaut, und die Stadt ist ein Moloch, der anzieht und erschreckt.

Die letzten zwei Bücher des zweiten Bandes setzen Bürger und Außenseiter gegeneinander ins Endspiel. Was alle Gefahren überdauert, ist das ländliche Bondly und Rogerplace. Burton hat Betty geheiratet, die Kinder wachsen heran, und ihre Väter reden von Tag zu Tag mehr in Sentenzen. »Seit du Ehemann bist«, schreibt Wilmont an Mortimer, »fängst du keine Periode mehr an, ohne zu wissen, wie du sie endigen willst.« (II, 101) Man improvisiert nicht mehr, man erstarrt. Die Nebenfiguren – Blainville, Bianca, Laura – werden durch Elend und Tod abgesetzt. Sie haben ihren Dienst getan und verbleiben der Abfall, den die Städte fordern. Noch fordern sie mehr, als sie geben. Die Reise des Falschspielers Lovell endet noch einmal in Rom. Rom ist der Kernraum aller Labyrinthe, in den er im ersten wie im zweiten Band – deutlich abgesetzt durch ein Zeitintervall – erst nach den Gefahren eines Überfalls eintritt. Der Bund ist zerfallen. Andrea liegt im Sterben. Die Stadt vereist. Rosa und Lovell überlegen die Flucht nach Tivoli, die Flucht in die Idylle, in die man aber nicht zurückkann, wenn man sie einmal hinter sich gelassen hat. Ein Schuß, und Lovell bleibt auf der Strecke liegen. Die »Sicheren und Überzeugten« (II, 131) haben ihn gerichtet, wie es nach redlichen Grundsätzen sein muß. Der Moment ist nicht ganz ohne Duft. Lovell steht mit verwirrten Reden am Zaun von Rosalinens Gärtchen, in dem wieder die Malven blühen. Und sie, die alles überleben, richten auch sich selbst. Wilmont, der für sie den Schuß abgegeben hat, geht nach Amerika, um der Justiz einer autoritären Gesellschaft zu entgehen, vor der auch er sich nicht rechtfertigen könnte. Auch für ihn gibt es kein Wort, das ihn zurückhielte. Und man darf wieder fragen: Was ist gut? Was ist böse?

*William Lovell*, der Bildungsroman eines jungen Mannes, der mit sich selbst im Streit liegt und dem Ruf des Unbekannten folgt, ist ein Krisenroman geworden, der seinen provokanten Aufriß hat. Er beginnt mit einem Brief von Wilmont und Lovell und sinkt wieder zu einem von Lovell und Wilmont ab – zwei Männerstimmen, die von Bondly ausgehen und in der Entfremdung von Stadt und Land enden. Das breite Mittelfeld mit seinem Zeichensystem – vom 2. Buch bis zum 10. – gehört der Gefahrenzone der Städte und dem Strahlungsgürtel des intellektuellen Magiers, Andrea. In der ersten Hälfte der Bücher schaukelt das gebändigte Leben der Provinz, in der zweiten brodelt das Ab- und Ausschweifende der Städte. Die Mortimer und Burton trachten ihr Leben so zu leben, wie sie es jeden Tag wieder leben möchten, während Lovell der Ekstase und der Verdammnis verfällt, was nicht wiederholt werden kann. Wiederholung ist eine Begnadung der Provinz. Für sie hat alles seinen festen Platz im Raum. Sie existiert in einer vollen Dreidimensionalität. Die Menschen leben mit der Länge der Postwege, mit der Breite der sauberen Wohnräume und mit der Tiefe des Teichs, von der man nicht spricht, während Lovell Begegnung, Bewegung, Zeit ansammelt. Der Raum hat etwas Bergendes, von dem aus sie sich als die Geborgenen betrachten und sich als solche zum Maß und zum Maßstab von allem machen. Sie besitzen. Er verliert immer wieder, was er nie besaß. Bondly scheut vor dem Expressiven eines solchen Daseins zurück. Es bleibt aber nicht bei der Trivialität von Weibergeschichten, die man als oberflächlich und sprunghaft abschreiben könnte. Tieck versetzt das naive Rosalinen-Idyll und die verschrobene Emilien-Episode mit dem Kainszeichen des Kriminellen, woraus der Sirenengesang der Städte entsteht, der weder Dauer noch Sicherheit werden kann. Der Hang zur Unordnung der Wahrnehmungen in der Zeit, die Vorstellung – die Welt ist mein Labyrinth, mein Traum – kostet den Zusammenhang mit der Ordnung der Raummenschen, die primär Realität verzeichnet.

Das Buch kehrt am Schluß zu autoritären Strukturen zurück. Bondly besteht in seinen Gärten, in Hochzeiten und Kindern, über die Gefahren der Disharmonie hinaus. Aber der erste Schuß ist gefallen, der nicht der letzte bleibt.

Andrea Cosimo ist noch der unverkennbare Nachkomme des Genius aus dem Bundesroman, der mehr als ein Leben in sich hat. Der Bedarf nach dem Seltsamen ist in diesen wunderlosen Zeiten doppelt vorhanden. Es gab, es mußte mehr geben als das simple ABC des Denkhaushalts. Es mußte noch etwas anderes geben als die Buchhaltung der gesellschaftlichen Norm. Dieses undefinierbare Mehr tritt uns in der Geniusgestalt von Andrea entgegen, die für seine Jünger der »Übergang alles Begreiflichen zum Unbegreiflichen« ist (II, 18).

Tieck hat in Andrea gewisse Grundzüge dieser abwegigen Bundesroman-Figur beibehalten. Er verweist auch darauf. Andrea Cosimo ist »einer von jenen ungewöhnlichen Menschen, die wir wohl anstaunen aber nicht begreifen können, einer von jenen schrecklichen Magiern, die wir in Felsenklüften oder in Tollhäusern besuchen« (II, 178). Er hat noch immer das Gesicht der Leidenschaften, das von der Kälte des Urteils überdeckt ist und Ehrfurcht und Abscheu erregt. Andrea ist alt und hager, »jede Falte und jeder Zug« (II, 10) in seinem abgelebten Gesicht redet »eine andere Sprache«. Er hat noch immer den funkelnden Blick des Magiers, der bändigt, und das hohnvolle Gelächter, das Distanz schafft. Dieser Blick, in dem ein Auge vorwärts stiert und eines zur Seite (I, 154), erinnert unverkennbar an das eine blaue und das andere schwarze Auge in Jakobs Gesicht (Grosse, *Genius*), womit das Olympische des Blicks in das Interessante einer Anomalie verkehrt wird. Er weiß aber nichts mehr von der neuplatonischen Läuterung, wie sie von gewissen Orden propagiert wurde, wie sie Tschink *(Geisterseher)* und Rambach *(Aylo und Dschandina)* noch als asketische Lehre in ihre Romane einbauen. Das trifft aber nur die Oberfläche.

Tieck läßt Andrea die alte Doppelrolle, die wir kennen: Führer und mehr noch Verführer. Um ihn wächst das Gute und mehr noch das Böse. Andrea ist ungewöhnlich vielstimmig, selbst für den skeptischen Adriano ist er »die

Skizze zu einer kolossalischen Figur« (II, 175). Omar und Nadir, die Greise mit dem langen Bart, wie sie noch in *Abdallah* stehen, sind in eins zusammengelegt zu einem Menschenbild, das seine Eindeutigkeit abgelegt hat, das zu irisieren beginnt und unter uns zu leben versucht, was nicht gefahrlos geschehen kann. Andrea kommt nicht mehr aus dem Morgenland. Er kommt aus derselben Stadt, aus demselben Klima, aus denselben Widersprüchen. Er trägt unsere Kleider, er ist ausgesprochen Zeitgenosse. Auch er fängt in der Sicherheit der ländlichen Zäune an. Er hat als Waterloo einmal unter den Redlichen in Bondly und Rogerplace gelebt. Er hat wie sie über Gärten und Blumen gefaselt, er hat wie sie den Mädchen ewige Liebe geschworen und Freunde tausendmal umarmt. Er hat wie sie um Geld geschachert und unter den Honoratioren sitzen wollen. Er hat gehaßt, verraten, Mord geplant. Er ist verschwunden und wird totgesagt. Die Menschen aus den guten Stuben haben keinen Bedarf nach einem Mann, der keine Mittelwege kennt. Die Burton und die Lovell schreiben ihn für immer ab. Die Jugendgeschichte des Mannes Waterloo, der zu den Geborgenen in Bondly gehörte, wird als die Geschichte des Weltmannes Andrea Cosimo, der sich als Unbehauster in den Straßenlabyrinthen verliert, zu Ende geschrieben. In einer etwas dandyhaften Laune versucht der Seelenzergliederer um sich herum eine Elite von hohem Lebensstil zu schaffen. Er gibt den jungen Menschen Vertrauen in eine Berufung, die an sie ergeht. Er gibt ihnen eine Maske, er teilt ihnen, was sie alle wollen, eine Rolle zu. Er weckt eine Seele in ihnen, die aber nur eine Einsamkeit wird, die sie nicht ertragen können. Unter seiner Regie öffnen sich Randzonen von Geheimnissen, die der Konzeption der romantischen Märchen notwendig vorausgehen. Der Magier des Trivialromans ist Marionettenspieler geworden, der seine Fäden knüpft und Menschen agieren macht – ein intellektuelles Spiel mit Spannung und Rausch, das er im Sterben mit einer Frage nach seiner eigenen Spielfunktion beschließt. Er hinterläßt ein Testament, das seine Puppen entlarvt und sich selbst, was den Illusionscharakter des Buchs durchbricht. »Wer ist das Wesen, das hier so ernsthaft die Feder führt? Bin ich ein großer Tor? einer der größten Narren? . . . ich bin vielleicht jetzt ernsthafter als je und doch möchte ich über mich selbst lachen.« Das Verhülltsein endet in einem Erkanntwerden. Man wirft keinen Schatten mehr, man hat sein Spiegelbild verloren. Die ironische Buffonerie, mit der Andrea Cosimo sich in »Selbstschöpfung und Selbstvernichtung« zu begreifen versucht, entspricht der Kälte des überlegenen Denkens, mit der er Menschenschöpfer sein wollte und Puppenspieler geblieben ist. Der Spieler ist aber keine pathologische Figur. Er lacht, um das Schwere leicht zu machen. Der Obere, der Bundesbruder, der Genius, sie alle sind Spieler. »Jeder Mensch braucht eine Erschütterung«, schreibt Lovell, »der eine sucht sie im Theater, der andere in irgend einem Stekkenpferde, dem er sich in innigster Liebe hingibt; ein anderer macht Pläne, ein vierter ist verliebt, – das Spiel ersetzt mir alles.« (II, 184) Und warum? »Es ist oft, als käme man dem eigensinnigen Gange des Zufalls auf die Spur, als ahndete man die Regel, nach der sich die durcheinandergeschobenen Kreise bewegen.« In der Künstlichkeit dieses Spiels wächst dem Genius mit jedem Zug etwas von der kreativen Begierde des schaffenden Menschen zu, der eine Welt formen und verformen möchte, um zu bestehen. Das Spiel Andreas wird in der Strenge von Hesses *Glasperlenspiel* weitergespielt, und im Versuch einer anderen Formgestalt ist ihm Thomas Manns *Doktor Faustus* noch verpflichtet. Es geht um Gemeinschaften, aus denen niemand mehr ins gewöhnliche Leben zurücktreten kann ohne Verlust. Und das ist neu. Andrea stirbt mit dem »gräßlichen Gelächter« des Ironikers, das Lovell, der am Schluß selbst lacht, schluchzend zurückläßt. Während die Burton und Mortimer und Blackstone »durch Gottes Segen und fleißige Arbeit« (II, 284) die Obstbäume und Hecken in ihren Gär-

ten zur Perfektion verschneiden, zerbrechen die Menschen der Städte in Weinen und Lachen, wofür Schicksal nicht mehr das zuständige Wort ist.
Tieck tritt mit einem ausgesprochen psychologischen Interesse an das Komplizierte einer urbanen Persönlichkeit heran, die ein elastisches Verhältnis zur Durchschnittswelt sucht, ohne aber psychopathische Modelle aufzustellen, die eindeutig gelesen werden könnten. Die Geniusfigur steigt aus literarischen Niederungen in eine höhere Schicht, die den Reichtum ihrer zwiespältigen Anlage nach jeder Richtung auszuschöpfen versucht. Tugenden sind schön. Aber Tugenden haben auch ihre Untugenden. Was schon Ryno gefragt hat, wird eindringlicher wieder gefragt. Aber die Fragen werden jetzt mit innerer Abwehr in den guten Stuben der Bürger gefragt. »Bin ich denn nicht aller derselben Schwächen schuldig?« (II, 191) »Wie vielen Menschen habe ich Unrecht getan?« (II, 135) »Warum wollen wir auch denn immer die Besseren und die Schlechteren von einander sondern?« (II, 136). Aus dem Gut und Böse der Stadt, das Denk- und Reaktionsformen hat, die Bondly ungehörig und verwerflich erscheinen, entstehen neue Wertansprüche, die aber erst bei E. T. A. Hoffmann ihr ausgesprochenes Bürgerrecht erreichen. Der Genius, eine Figur aus der manieristischen Unterwelt der Hochgradorden, wird zu einem Grenzfall der menschlichen Existenz, der sein Schockantes, aber auch sein Interessantes hat. Dem alten Magier wächst aus der Normwidrigkeit des Unbehausten ein neuer Erlebnisbereich zu, in dem die romantischen Bergleute, die Klingsohr, die Tannhäuser, die Meister und Sonderlinge ihre Schatten vorauswerfen. Aber auch der Verführer, der wie jeder Verführer über den Dingen steht, erträgt das Gewicht der Maske nur schwer. Darum endet der Roman mit der ironischen Selbstanalyse des Dialektikers, der keine Auflösung von Widersprüchen sucht, sondern mit dem Rückzug in ein kühles Verstehen von Sinnlichkeit, Haß, Enthusiasmus und Melancholie seine

Rolle behauptet. Ohne Andrea hätten wir keinen Meister Abraham *(Kater Murr)*, der für Julie die Maschinen andreht, die magischen Spiegel einstellt und sie auch hinter den Vorhang des Marionettenspielers sehen läßt. Das bedeutet aber schon literarisches Können.

Tieck hat im Zusammenhang mit dieser Figur noch ein anderes Problem zu neuen Möglichkeiten aufgebrochen. Das Generationsproblem, das in seiner primitivsten Form im Autoritätsverhältnis zwischen Vater und Sohn liegt *(Abdallah)*, wird auf eine andere Ebene verschoben. Was tritt dem jungen Menschen im reifen Gesicht entgegen? Was in den verlebten Zügen? Sind das nur biologische Vorgänge? Ist das nur ein Zeichen der Überalterung einer Gesellschaft? Mit diesen Gesichtern beginnt für die Romantik die lange Reihe der Lindhorst *(Der goldene Topf)* und der Drosselmeier *(Nußknacker)*, deren Meisterschaft aus dem Erleben und dem Überleben kommt. Sie beginnt mit dem Gelächter des Ironikers und endet mit dem Hoffmannschen Sonderling, der kuriose Geschichten zu erzählen weiß, bis den Stammgästen das Maul offen steht, der mit einem Schnippchen der Fingerspitzen seine Pfeife in Brand setzt und lachend nach Hause geht.

Tieck hat mit dem Genius auch noch den Bund in urbaner Form als handliches Requisit übernommen. Die geheime Gesellschaft wird intellektualisiert zu einer Gemeinde von Berufenen, die Abenteuerlichkeiten und Weltprogramme nicht mehr brauchen. Sie versinken in »ein ruhiges und gedankenreiches Gespräch«, das sich bis in die Morgenstunden hineinzieht und sie in eine kaum erwachte Stadt entläßt. Lovell steht vor den Brüdern wie vor einem »raphaelschen Gemälde« (II, 15), so wie Karlos (Grosse) vor »der apostolischen Menschlichkeit« der Versammlung, womit Tieck den Adelsanspruch der führenden Gesichter vom Humanen ins ästhetisch Wirksame verschiebt. Franzesko und Adriano sind wie Jakob und Pedro eingesetzt. In ihren Zügen bricht die Grossesche Vorlage deutlich durch. Tieck löst auch die

Bundestochter aus ihrer engen Verflochtenheit mit dem Bund. Sie und ihre Schwestern – Blainville, Bianca, Laura – werden das Glück und die Sünde der Stadt. Auch sie sind Unbehauste, die zu den Schatten und Lichtern der Straßen gehören. Die Exaltationen der Abende, das Symphilosophieren der Brüder setzen sich fort in dem kritischen Kreis, der sich auf Manfreds Landgut versammelt, um über Märchen und Komödien zu diskutieren *(Phantasus)*, und in den Hoffmannschen *Serapionsbrüdern*, dem literarischen Klub der Stadtherren.

Der Bund zerfällt vor unseren Augen. Franzesko und Adriano planen, als »wohlkonditionierte Ehemänner« zu enden und sich wieder unter »jene verachteten Spießbürger« einschreiben zu lassen (II, 268/69), in deren Gärten keine verbotenen Bäume stehen. Unter den Bundesbrüdern bricht die Sehnsucht nach dem eindeutigen Leben der Blondhaarigen aus, die auch Tonio Kröger noch wie eine Krankheit überfällt. Tieck bricht einen Fragenkomplex an, der bis in die Provinzialismen der Blut- und Boden-Literatur hinein zuständig bleibt. Der Provinzler sieht in der Sicherheit des Eindeutigen die Gewähr zu einem Leben, das noch idyllisch gelebt werden kann. Aber für den Städter mit dem Zwiespalt von Gesetz und Anarchie gibt es kein »Zurück zur Natur«, das er längst durch künstliche Paradiese ersetzt hat. Unter den Biederen, die überzeugt sind, daß alle Welt eindeutig ist, ist es aber um den Magier schlecht bestellt. Man kann wie der Pate Drosselmeier *(Nußknacker)* Kinder in eine fremde Welt sehen lassen, man kann wie Celionati *(Brambilla)* im Karneval Wunderbrillen verkaufen, aber mit dem Käufer nicht platonisieren. Innerhalb eines fortschrittlichen Bürgertums kann der Magier nur als Ironiker bestehen.

Neu in der Anlage ist die Gestalt Balders, die im Trivialroman keinen Platz hat, die auch der oft zitierte Rétif de la Bretonne nicht kennt. In ihr setzt sich Tieck mit dem Melancholiker unter den Unbehausten auseinander. Mortimer sieht ihn mit den Augen von Bondly als Schwärmer, der wie ein Strohfeuer aufflackert und niederbrennt, Lovell sieht ihn als idealen Partner seiner Launen, wie man ihn unter Tausenden nur wünschen kann. Tieck greift die Labilität des sensitiven Lebens auf, die auch die zeitgenössische Medizin beschäftigt hat. Aber die Geschichte Balders bleibt auch eine Krankengeschichte. Er hat die Geborgenheit, die er sehnlicher als irgendeiner wünscht, bis aufs letzte verloren, ohne den Funken des Ironikers erworben zu haben. Er bleibt einer, der am Verlust des idyllischen Raums scheitert. Andrea zieht das Fazit: Balder ist ein mittelmäßiger Mensch, interessant durch die dunkle Anlage, die ihm mitgegeben ist, aber langweilig, weil sich nichts zur schöpferischen Persönlichkeit umzuformen vermag (II, 321). Er, dessen Affekte ohne Niederschlag bleiben, ist Psychopath und wird hinter vergitterten Fenstern ausgeschieden.

Balder, der an der wirklichen Welt vorbeilebt und doch nur im gemäßigten Raum mit Frau und Gewohnheiten leben könnte, ist eine Gestalt mit allen Anzeichen einer manieristischen Todessehnsucht geworden. Was bei Ryno noch Todesschönheit war, wird bei ihm ein krankhafter Zustand. Die Welt ist ein nichtswürdiges Marionettenspiel, in dem niemand hinter den Vorhang sehen will. Was ist Vernunft? Was ist Wahrheit? Wo ist die Grenze zwischen Wunder und Alltäglichkeit? Balder zerbricht an der Relativierung der Begriffe, bis auch kein Entsetzen mehr übrigbleibt. Damit ist für ihn der letzte Genuß des Lebens verloren (I, 226). Tieck macht Balder zum Menschen, der nach dem Verlust aller Gewißheiten nur noch einen Genuß kennt – das Entsetzen, in dem für ihn »eine Art von wütender Freude« liegt (I, 172). Er ist verfolgt »vom Grauen vor der Schönheit« (I, 146), stumm, weil Sprache nur aus Worten besteht (II, 37). Für Balder gibt es nur ein Glück, »das kalte würmervolle Grab« (I, 228). Weder zu Mission noch zu Spiel geeignet, verbleibt er unter den Genußsüchtigen der Städte der Phantast der Verwesungs- und Todesvorstellungen, ein Manierist, der an einem saturnischen Defekt scheitert. In diesen Exzessen der Darstellung hat sich der junge Tieck vom Unfruchtbaren einer Wahnsinnsmaske losgesagt, die nie mehr in den Alltag zurückkönnte, was aber keinem Menschen erspart werden kann.

Rosa und Lovell, tiefer verflochten in das Schöpferische eines chaotischen Urgrunds, halten bis zum Schluß durch. Aber auch sie sind des Wünschens müde geworden und müssen ins Tagtägliche zurück. Sie werden am Schluß gewissermaßen heimgeholt wie Grosses Karlos und der Graf von S. Die Herren haben es leicht. Sie können auf ihre Schlösser zurückkehren, ihren Platz am Kamin einnehmen und die Pferde wieder aus dem Stall ziehen, wenn die Schatten rufen. Sie haben sich mit keiner Bürgerlichkeit auseinanderzusetzen. Nicht so der Mensch der guten Stuben. Tieck versucht Lovell und Rosa noch einmal werden zu lassen, was sie von Hause aus waren – Abwegige aus Bondly und Roger-place, die sich wieder in der Ofenwärme einer gesicherten Häuslichkeit ansiedeln sollen. Sie haben das Verbotene geliebt, sie sind an den Rand des Verbrecherischen geraten. Und wer bestimmt die Ränder? – Da fällt eine sehr entscheidende Wendung: Man kann die Zeiger nicht zurückdrehen. In den guten Stuben lebt man nach der Uhr, nach der gemessenen Zeit. Kinder setzen die Geschichte der Väter fort. In den Nachkommen ist die korrekte Zeit garantiert. Rosa und Lovell stehen außerhalb eines Familienklüngels, das sich für sie wieder öffnen könnte. Sie haben mit den Seßhaften zusammen nicht mehr dieselbe Ortszeit. Nichts ist das Letzte, nichts der Platz zugleich für Leben und Sterben. Auch Emilie bleibt nur eine Sünderin, die nie wie Gretchen als Una poenitentium vor die Mater gloriosa treten könnte. Das Buch hat mit der Gesellschaft aus guten Stuben begonnen und endet mit ihrem Diktat. Wilmont gibt den Schuß ab, der aus Prinzip abgefeuert werden muß. Aber hinter diesem Scharfrichtertum der idyllischen Autorität steht eine Frage, die ihr selbst an den Leib rückt. »Was ist mir und Emilie damit geholfen, daß er die Luft nicht mehr atmet?«, heißt es in Wilmonts letztem Brief, mit dem das Buch schließt. Auch er kann nicht mehr in die Gärten von Bondly zurück. An seinen Händen klebt Blut. Wer geht aber schuldlos durchs Leben?

Der Roman hat sein Doppelgesicht. Er ist ein Bundesroman, der um eine komplizierte Persönlichkeit herumgeschrieben ist, und auch ein Kriminalroman, in dem zwischen Stadt und Land das Schuldig und Unschuldig einer Gesetzgebung ausgetragen wird, ohne daß eine Jury in sich schlüssig werden könnte, was die Kritik nutzlos zu unternehmen versucht hat. Tieck hat mit diesem Buch von der Entfremdung von Stadt und Land seinen Pitaval geschrieben. William Lovell, der gefährdete Mensch der Städte, vor dem das Hinterland erschrickt, wird als gefährlich zur Strecke gebracht. Der Roman endet mit dem sittlichen Triumph von Bondly und Roger-place, der aber ein Fehlurteil nicht ausschließt.

Das Thema liegt im Titel. Das Buch heißt nicht mehr *Genius,* sondern *William Lovell.* Es beruht nicht mehr auf einem Bund und seinen Umtrieben, sondern auf den Disharmonien eines abartigen Menschen. Die Figur des scheinbar harmlosen Zeitgenossen, mit dem man auf der Schulbank gesessen hat, bekommt Akzente, die eine humanistisch gerichtete Kritik nicht gutheißen kann. Ein junger Held, ohne Wunsch, in den Schatten des Vaters hineinzuwachsen, in keiner Weise bemüht, der Gesellschaft nützlich zu sein, ist suspekt. Lovell, der »hoffnungslose Nihilist«, wie man gesagt hat, tritt in die Reihe der Ungenügsamen, die unsere Zäune bedrohen, die nicht überstiegen werden dürfen. Tieck unternimmt aber keine Heiligsprechung des Stromers. Die kühlste Definition seiner selbst, und für uns ausschlaggebend, gibt William nach dem Tode Andreas. »Wie herzerhebend müßte jetzt das Gefühl sein, sich als einen recht großen Bösewicht zu kennen; sich selbst zu fürchten und zu achten: dies Glück war mir nicht vergönnt« (II, 279). Ryno sah sich noch groß, war noch in die Tragik des Verbrechens hinaufgespielt, Lovell sieht sich der Tragikomik des Mittelmaßes näher als der Größe. Er kommt aus einer Welt der Gegenstände, die vom Vater an den Sohn weitergegeben werden, von Menschen, die mit Mäßigung lieben und den Exzessen von Größe fernstehen. Lovell erschrickt vor der Tragikomik der beglaubigten Maßstäbe. Er erschrickt vor sich selbst. Er wird von Haß erfüllt gegen die kleinen Paradiese, die ihn ausschließen. Er schüttet Gift in den Wein eines alten Freundes, er verführt die »abgeschmackte« Emilie, die »ihre Aufopferung an den Mann bringen will«, er sieht das Haus Amaliens in Flammen und rettet die Frau, die ihn nicht erkennt. Gut oder böse, er wird nicht mehr erkannt.

Lovell gehört zu den Menschen, denen gestern alles traurig schien und heute alles lustig ist. Er möchte bei einem Allegro weinen und zu einem Andante tanzen (I, 28). Lovell ist von Hause aus schwärmerisch und auch verletzlich angelegt. Er schlittert in Verhältnisse hinein, die er nur halb durchschaut. Die Grenzen zwischen dem Erlaubten und dem Verrat bürgerlicher Tabus verwischen sich. »Warum werden die Danaiden ihrer unglückseligen Arbeit nicht überdrüssig? Warum schaffen sich Tausende aus dieser schönen Welt eine Hölle?« (I, 164) Solche Fragen sind unliebsam. Man liebt die alten Fragen und die alten Antworten. Bondly mißtraut der ungewöhnlichen Reizbarkeit des Nachbarn. Die überreine Liebe zu Amalie wird Sinnlichkeit im Spiel mit der Comtesse Blainville, mit Bianca und Laura. Wollust sucht Kontraste. Liebe wird Genuß. Damit trennt sich Lovell von der schönen Einförmigkeit in Bondly. »Meine äußeren Sinne«, heißt es, »modifizieren die Erscheinungen und mein innerer Sinn ordnet sie und gibt ihnen Zusammenhang« (I, 177). Das heißt, das Leben in der gelebten Zeit überholt Grundsätze und strenge Wahrheit der gemessenen Zeit, wofür es unter den Rechtgläubigen keine Nach-

sicht gibt. Das ist eine Freiheit, die auf dem Stadtpflaster gewachsen ist. Die Stadt verschlingt Lovell mit Geheimnis und Schatten. Er lebt in London als Spieler, gewinnt und verliert, wird Falschspieler in Paris und kehrt verkauft an Andrea nach Rom zurück. Der sterbende Andrea läßt ihn, der ein zweites Paradies sucht, mit dem Lachen des Ironikers in der Entfremdung von Stadt und Land zurück.
Lovell, der gemordet hat, wird selbst ermordet. An ihm wird zur Genugtuung des Lesers gut gemacht, was er am honorigen Mitbürger verschuldet hat. Thema bleibt: Wer in Bondly geboren ist, wird in den Straßen von London, Paris und Rom der Ironiker mit dem schallenden Gelächter, für den es bei Tieck kein Atlantis und kein Famagusta gibt.

»Alle Romantik haftet am Literarischen«, hat Fritz Giese zum Leitmotiv seines Kapitels über das schöngeistige Schaffen der Romantiker gemacht.[59] Gerade an den Schülerarbeiten Tiecks wird deutlich, daß es fürs erste kaum die geschaute Wirklichkeit ist, von der er sich unweigerlich befruchtet fühlt, daß das Gelesene und Vorgestellte ihn tiefer berührt als die Entdeckung eines konkreten Gegenstands, der uns ohne unser Zutun gegeben ist. Alles beginnt mit der Aneignung eines schon Vorhandenen, mit dem Erlernen von Wörtern für die Gefahren, Schatten und Verzückungen des Daseins, wie sie die heile Welt nicht duldet. Arnold Gehlen[60] hat das Ende des 18. Jahrhunderts mit seinen gewaltigen Verschiebungen eine Zeit genannt, die für einen »Gegen-Rousseau, für eine Philosophie des Pessimismus und des Lebensernstes« reif war. Und man darf hinzufügen, daß die Frühromantik in der Auseinandersetzung mit dem Heiligenschein der Unheiligen kein »Zurück zur Natur« kennt, sondern sich in einem »Zurück zur Kultur« den Denkaufgaben eines neuen Manierismus verschreibt.

Von *Ryno* bis *William Lovell* schließt sich ein Kreis, in dem sich der Umbruch des trivialen Grausens zum artistischen Schauder vollzieht, in den sich die Märchen und die Komödien des *Phantasus* erst als kunstvolle Mitte einlegen können. Dieser Entwicklungsprozeß vom Kleinkarierten einer ländlichen Lebensart bis zur Relativität eines vielseitig drehbaren Spiels ist nach vieler Richtung einmalig und ist in dieser Form von keinem andern der Tieckgeneration wieder so eindringlich erlebt worden. Tiecks Haltung ist auch ein-

malig in der Bewußtheit des literarischen Auftrags und in seiner frühen Virtuosität. »Ob ich mit Worten oder Karten, Definitionen, Würfeln oder Versen spiele«, schreibt Lovell an Rosa, »gilt das nicht alles gleich?« (II, 183)
Man darf sagen, daß Grosses *Genius* (1792) der letzte und nachhaltigste Impuls war, mit dem das Triviale des Bundesromans noch einmal an Tieck herankam, ehe die Sicherheit einer persönlichen Handschrift erreicht war. Dieser labyrinthische Roman mit seinen ungewöhnlichen Längen, in denen eine gelinde Langeweile so selbstverständlich ist wie Spannung, führt das Kriminelle, das von allem Anfang an Rohstoff des Bundesromans war, bis an die Grenze einer gekünstelten Spekulation, die ihm neue Lichter aufsetzt. Der Roman war von einem Blender geschrieben, der zwei dunkle Jahre seines eigenen Lebens hineingedichtet und sich auch wieder herausgedichtet hat. Das Buch war mit dem ausgesprochenen Wissen um das Bedrohliche von Geheimnissen geschrieben, wie es der Mann besaß, der seine eigene Existenz nur chiffriert hinterlassen hat. Es war eines der Bücher, das in den Händen des Lesers weiterwächst. Tieck hatte da Dinge gelesen, die für den guten Geschmack von Nicolais Berlin kaum annehmbar waren, die man aber auch um so weniger vergißt. Chiffriertes hatte man in *Hamlet* gelesen. Unterschwellige Opposition stand in *Götz*, kriminelles Rebellentum in den *Räubern*, aber hier stand wieder Chiffre um Chiffre, Labyrinth an Labyrinth, das erst enträtselt werden wollte. Man stand vor Denkaufgaben einer Kultur mit dem Sinn für das Anarchische von Schockwirkungen.
Die Generation der Erfolgreichen, von der man noch gar nicht bemerkt wurde, hatte Schattenbilder an die Wand geworfen, die den Gymnasiasten nicht losließen. Das war aber schon Geformtes, war die Welt der großen Herren, der Ritter, Bischöfe und Kanzler, die ihre Tragödien noch mit vorbildlichen Gesten zu Ende spielen. Aber in den billigen Büchern, die aus dem Sektengeist der geheimen Ge-

sellschaften und aus den Einfällen der europäischen Spekulanten schöpften und aus dem Reiz des Verborgenen einen beträchtlichen Umsatz erzielten, lag das Ungeformte, das erst in artifizielle Bilder und Zeichen übersetzt werden mußte. Da standen die Begegnungen, die Menschen in Krisenzustände stürzten, die Erschütterung geltender Kategorien, die aus dem Ich heraus bewältigt werden mußte. Und mehr als das, da standen die Höhen und Tiefen der Erfahrung angedeutet, die ein menschliches Leben braucht, um das Gefälle des Produktiven zu haben. Persönlich unbeteiligt an der aktuellen Logenbewegung und an ihren karitativen und politischen Absichten, kam Tieck aber aus dem Bodensatz des Verbrecherischen, das sich im Bundesroman niederschlug, das Zwielichtige unserer Anlage und das Mehrdeutige unserer Existenz entgegen. Man darf Angst, Zweifel, Tränen, Grauen, Ekstasen haben so gut wie edle Gedanken. Das gehört zum Leben dazu. Auch Verbrechen gehören zu den Dingen, die so wenig restlos verständlich sind wie ein Sonnenuntergang. Träumer, Spieler, Psychopathen werden in das Weltbild mit eingeschlossen. Bei diesen Erfahrungen, die im Denken des Zweckbürgers keine Heimat haben, setzt der junge Autor an.

In Anbetracht der manieristischen Zusammenhänge verschiedener Epochen müssen einige Schlagzeilen erwähnt werden, die als Kriterien überflüssig geworden sind: die Frühromantiker sind Europäer, die nicht für alle Nationalstaaterei und Meistersingerei verantwortlich gemacht werden können, auch dort nicht, wo sie Mittelalter gegen liberale Aufklärung ausspielen. Sie haben, abgesehen von Friedrich Schlegel in seiner späteren Entwicklung, auch nicht der katholischen Kirche angehört, die erst in den Abgesang der Romantik und der Sektenbewegung wesentlich eingreift.

Die Bundesromane aus den Niederungen des Trivialen haben nichts Beschauliches und auch nichts Vorbildliches in sich. Sie sind dem Idyllischen abgekehrt, das seinen Platz im Familienroman hat, der im 19. Jahrhundert in neue

Kanäle der Unterhaltungsliteratur abrinnt. Sie sind auch nicht für Frauen und Mädchen bestimmt und kaum für die kleine Provinz, an der die Logenbewegung ungesehen vorübergegangen ist. Sie stehen in den Leihbüchereien der Stadt, die vielerlei Bedürfnisse zu befriedigen haben. Sie leben von einer manieristischen Gedankenwelt, die in den Hochgradorden der europäischen Städte unterirdisch weitergegeben wurde und ebenso international war wie die Sektenbewegung selbst. Seit dem 15. Jahrhundert gab es Sekten in Menge – Adamiten, Pikarden, Gesellschaft der Armen bis zum Sozialismus eines Tommaso Campanella (1568–1639), der in seinem Buch *Sonnenstadt* eine Erneuerung der Gesellschaft durch eine rationelle Wirtschaftsstruktur errechnet hat und mit dem Einsatz einer täglich nur vierstündigen Arbeitszeit alle modernen Spekulationen übertrifft.

Der Bundesroman war eine gut eingeführte Ware, weil er zur Genugtuung der Rechtschaffenen aus der Chiffrierung aller Süchte, die wir haben, einen kriminellen Rohstoff herausgelesen hat und diese menschlichen Untiefen auch wieder als strafbare Handlungen demaskiert. Dieser Stoff, der gerade darum einen sicheren Absatz hat, wird fürs erste aufgeklärt und rational verschnitten. Die Romane hantieren mit Gift, Dolch und Maske, mit der Unterwelt einer Bundesgruppe, mit Morden, die Rätsel sind, die aber erraten werden wollen. Es geht wie in einem Kriminalroman um Taten und Täter, die der Autor für den »geneigten Leser« am Ende dienstbeflissen entlarvt und für den er auch die Mechanik der Effekte aufdeckt, damit er das Gruseln unterhaltend fände. Der Leser genießt die Sünde und die Strafe.

Für Grosse liegt der Akzent aber schon auf dem Spielcharakter von Labyrinthen und Chiffren, die erst zu Wörtern zusammengesetzt werden müssen. Und nicht jedes Wort wird eine lesbare Mitteilung, nicht jeder Täter hat einen anrüchigen Namen, nicht jede Tat ist gut oder böse – aber kein Leben ist ohne Schaudern! Da öffnen sich längst vor dem populären *Sherlock Holmes* die Wege in die Gemeinplätze des Kriminalromans, der sich im Detektiv einen findigen Beamten zulegt, der selbstredend auf Seite des naiven Lesers steht und ihn gegen Verluste absichert. Und andererseits tut sich die Fernsicht auf in die Geschichte des preisgegebenen Menschen, der in exzentrischen Grenzüberschreitungen den Leser durch Himmel und Hölle mitnimmt. Die von S. Freud erdachte Konvertierung der menschlichen Aggression in Weltangst, – was ein beliebtes Schockwort geworden ist –, bleibt ein Aspekt, der die Erweiterung der artistischen Aussagemöglichkeiten nicht aufzuschlüsseln vermag, sondern sie lediglich in die Nähe von Fehlleistungen rückt. Die Weltangst wird vom romantischen Künstler, der alles Süchtige in *stupore, mania, furore, terribilità* verzaubert, produktiv überspielt: Grauen ist schön! Das bedeutet einen Ausbruch aus versteiften Formen und den Übergang zu exklusiven Ansprüchen, in denen Schön und Häßlich, Lust und Unlust gegeneinander austauschbar werden.

Was den Romantiker, der nur am Rande der Biederkeit lebt, fesselt, ist nicht die Tatsache, daß ein Täter entdeckt und nach den Rechtsgewohnheiten der Gesellschaft gerichtet wird, sondern daß es Taten gibt, die den Menschen überfallen und aus ihm andere Schichten der Persönlichkeit herausheben. Der Bundesroman als literarisches Produkt mag fragwürdig sein, sein vulgär-manieristischer Bodensatz schlammig, aber er hat den Zündstoff zu Fragen in sich, die erst die Städte, die nicht mehr nach dem sanften Gesetz der Idylle leben können, zu fragen wagen und damit die Geschlossenheit ihrer Mauern aufbrechen. Man sieht sich vor die Aufgabe gestellt, Existenz, die auch das Sündhafte und Süchtige in sich begreift, zu definieren.

Schon Ryno schreit: »Wer bin ich, wer könnt ich sein?« (4) Die Welt nennt ihn einen Bösewicht, »und jetzt sah er auch in diesem Unhold einen verborgenen Reiz« (6). Wertkategorien geraten ins Gleiten. Ryno ist aber noch der Herr, der Recht und Unrecht in seine Hand nimmt, der entscheidet, was groß und klein ist, und auch die Strafe in einem souveränen Stil erlebt. Er tut den letzten Schritt, weil er getan werden muß. Abdallah, der Vatermörder, »der Verbrecher aus Liebe«, um ihm einen Namen zu geben, der nicht im Gesetzbuch steht, endet im Makabren der Zweifel und der Ausgestoßenheit als wahnsinniger Hochzeitsgast, um den herum sich die Welt der gesetzlichen Ordnungen verfremdet. In dieser gefährlichen Verschiebung zu einem sehr labilen Gleichgewicht bleibt ihm am Ende nur noch das »hinweg! hinweg! Wir kennen uns nicht mehr!« (242)

Wie steht es aber mit der Labilität eines Mannes, der mit unserer Welt leben muß? *William Lovell* ist das Buch der »unruhigen Tage« geworden, von denen Peter Lebrecht sagt[61], daß der Sonnenschein an solchen Tagen ganz anders aussieht und die Gegenstände durch- und übereinanderfallen. Menschenwege sind Labyrinthe, Umwege, Abwege, für die es keine Sultansgärten und Ölbäume braucht. Lovell, unser Zeitgenosse, ist aus den Sicherheiten moralischer Vorschriften entlassen und wird vom eindeutigen Gut und Böse nicht mehr bestimmt. Ihm wird das Maß fremd, die Provinz, die Autoritätsverhältnisse, der Baum, die eigene Hand. Wo Abdallah, der von Hause aus Geborgene, noch im Bereich der Sünde steht, die nie vergeben werden kann, ist Lovell der Täter aus der Disharmonie einer zwiespältigen Anlage. Das hat seine Parallele im Zeitgeschehen. Wo das Heilssystem des Pfarrers Joh. Jos. Gaßner noch gegen die Sünde im Menschen angeht und die Teufel austreibt, gibt Franz Anton Meßmer, der Entdecker des tierischen Magnetismus, die theologischen Aspekte auf und versucht, sich mit den Disharmonien des Kranken auseinanderzusetzen, denn alle Lebewesen scheinen von Widersprüchen durchsetzt zu sein.

Das ist aus der Urbanität der Städte gesprochen, denen die einzelne Singstimme und die achttönige Oktavenweite nicht mehr genügen. Lovell ist ein Unbehauster, der sich den Abenteuerlichkeiten vieler Länder ergeben hat, der spielt und mit dem gespielt wird, der immer und nie vor Gericht steht, der zuletzt mit einer gewissen Koketterie eine Blume an seine Brust steckt, damit der rechtschaffene Gegner »sein Herz nicht verfehle« (II, 303). Dieser Ansatz zu einem neuen Menschenbild, das aus der Grobschlächtigkeit der Trivialliteratur heraufsteigt, zerbricht das Heldentum der großen Herren so gut wie den Tugendbegriff des Provinzlers. Die Mobilisierung der Ungenügsamen zeigt visionäre, gierige, reizbare, schwerblütige Gesichter, aber kein mustergültiges Gesicht. Der Held setzt sich nicht mehr mit Locken, Halstuch und edler Seelenhaltung durch, mit einem Gesicht, das repräsentiert. Das Gegenständliche der Züge, das den großen Herrn noch schmückt, ist abgefallen. Auch der Märchenheld hat, wie Eckbert, nur noch kurze hellblonde Haare um ein eingefallenes Gesicht, das leer bleibt. Was sich bei dieser Wertzertrümmerung aus dem gewissenlosen Helden eines ursprünglich kriminellen Rohstoffs ergibt, ist »l'âme puissante au crime« (Baudelaire, *L'idéal),* ist der gefährdete Mensch, den die Gesellschaft als gefährlich abschreibt.

Diese Gesichter, die im Konvexspiegel der Vorstellungen gespiegelt und zerspiegelt und zu tragikomischen Winkeln verzerrt werden, kündigen den Manierismus der Romantik an, der in Sprachspielen und Deformationen die klassischen Zusammenhänge aufhebt. M. Dvořák betrachtet den Manierismus nicht nur als kunsthistorischen Begriff, sondern als eine intellektuelle Bewegung, die seit dem 16. Jahrhundert nicht aufgehört hat, unterirdisch wirksam zu sein. Die Hochgradorden, weder naiv noch volkstümlich, tragen diesen anarchischen Bodensatz in Spekulationen und Terror weiter. Sie gehen mit Maske und Symbol gegen das Mustergültige von festen Werten vor und sind in ihrer Art eine Revolte der Städte gegen stagnierende Ordnungen. In den heranwachsenden Städten vollzieht sich damit die Umwertung und auch die Entwertung des Ruhigen und Beruhigenden.[62] Es muß wiederholt werden: Nicht aus dem Freimaurertum des 18. Jahrhunderts, das öffentlich anerkannt war und im Ton der moralischen Wochenschriften zu staatsbürgerlichem Denken erzieht, sondern aus den Logen strikter Observanz, die vom Standpunkt des Aufklärers die korruptesten waren, springt der Funke in die Dichtung über.

In dieser Einstellung trennen sich Bundesroman und Familienroman grundsätzlich. Die Urbanität manieristischer Formen befriedigt allerdings nur das Bedürfnis einer Minderheit, die sich der Beunruhigung ausgesetzt sieht. Der Unbehauste, der nur in den Augen der Provinz ein Entwurzelter ist, braucht Maske, Rolle, Schein, in denen die Wirklichkeit nicht nachgeahmt, sondern zu unbekannten neuen Wirklichkeiten verformt werden kann. Für den Städter, für den Theater zum Täglichen gehört, ist alles Trauerspiel, Maskerade, Komödie, Bühne, Winkeltheater, Schattenspiel. Die Lovell und Andrea, die schon mit Staunen durch die Stadtstraßen gehen, die das gänzliche Alleinsein kennen, die die Einsamkeit hören und Schatten an der Wand sehen und wissen, daß es »ein mühsames Geschäft ist zu leben« (II, 10), stellen notwendigerweise andere Fragen als die Burton und Mortimer, die durch ein ererbtes Haus und ein gutes Familiengewissen beglaubigt sind. Die Unbehausten sind grundsätzlich Fragende, die von Unruhe bewegt sind und in der Frage jede Stabilisierung von Werten übersteigen. Unter ihnen setzt automatisch der provokante Fragecharakter der Bücher ein: was ist wahr? was ist falsch? was erdichtet? was Überzeugung? was ist Liebe? (Lovell II, 71) Jede neue Generation, die sich bestätigt sehen will, hat zu fragen. Selbstverständlichkeiten erscheinen als Konvention. Konstantes wird vom Variablen verschlungen. Die Geltungsansprüche der Provinz sind kaum mehr als eine Lebenslüge, die gewissen Höchstforderungen der Aufklärung entspricht und an ihren Rändern schon brüchig ist. In den romantischen Märchen fallen diese Gegensätze schon zu Chiffren vereinfacht auseinander – in die Kornfelder der Ebene und die Schachte des Runenbergs, in die

Schönheit der Steine und in das Grauen vor der Pflanze, in das Hausfrauliche Elisabeths und das Monumentalmaß der Bergkönigin. Und die grünen Wiesen des Pächters Martin grenzen an die Labyrinthe der Elfen, die sich für ihn nie öffnen. Der Städter ist eine noch unbekannte Größe. Er beginnt als Mensch mit einer fragwürdigen Identität der Person und mit der Ambivalenz der menschlichen Haltung, die immer wieder das Bild im Spiegel fragt – wer bin ich? So fragen Almansur, Ryno, Abdallah, Lovell, der blonde Eckbert. Es wird die Frage gefragt, die Tieck schon bei Shakespeare gehört hat und die von da an in immer neuen Drehungen und Wendungen von den Menschen gefragt wird, die sich um Spiegelbild und Schatten sorgen. Da wird der moderne Mensch, für den die Tabus nicht mehr entscheiden, befragt nach dem Sinn seines Gesichts, nach seinem Anspruch auf Lust und Unlust. Und diese Fragen stammen aus den Städten, die niemand einen unbegrenzt gültigen Personalausweis mitgeben. Sie können nicht ohne Ironie gefragt werden, die der Trivialroman nicht kennt. Er ist noch ein Handlungsroman, der, von Überfall, Verwechslung, Verbrechen bewegt, dem Geschehen die Führung überläßt. Tieck biegt ihn mit *William Lovell*, dem Don Quijote der Städte, zum Figurenroman um. Zum Grauen gesellt sich die Ironie, das Vermögen, zwischen dem Bedingten der Erscheinung und dem Unbedingten der Vorstellung zu unterscheiden. Sie, der es nicht um Entsagen und Erlösung geht, sondern um die Existenzberechtigung des Relativen und Vorläufigen, stellt die Abwehrgeschütze gegen die Glaubenssätze der Provinz auf. Mit dem Ironiker der romantischen Dichtung, in dem sich Stadt und Land von innen heraus für immer trennen, wird die Stadtdichtung geboren, längst ehe der Naturalismus die *terribilità* einer sozialen Vorstadt-Misere einsetzt.

Der Bundesroman bietet im Emissär und in den geheimen Oberen Figuren an, die zu neuen Möglichkeiten aufgebrochen werden können. Omar und Nadir (*Abdallah*) und hinter ihnen Mondal und Achmed folgen noch der trivialen Schablone vom Magier mit dem langen Bart und den funkelnden Augen. Omar zerspielt und verschnörkelt im Gespräch die moralischen Kategorien ins Absurde, ehe er aus Abdallah die Frage herauslockt – wer bin ich –, die der junge Tieck noch halb beantwortet lassen muß. Aus den Schlüsselfiguren des Bundesromans entwickelt sich aber schon in Andrea Cosimo die romantischste Figur, die wir haben: der Spieler, der sich vom Einmaleins der Kaufmannsrechnung befreit. Andrea ist wie jeder echte Spieler Ironiker, der weiß, daß man über sich selbst lachen muß, daß man Leben nicht lenkt, nur mit Gelächter besteht. Aus seinem alten skurrilen Gesicht kommen die Künstler und Meisterprofile der romantischen Dichtung. Aus der listenreichen Führung durch den Genius entsteht ein Aufschlüsseln der Welt in das Spektrum aller Widersprüche, woraus neue Erfahrungsgebiete entstehen. Die Rezeption des Bundesromans, die zu einer wesentlichen Ausweitung der künstlerischen Aussagemöglichkeiten geführt hat, ist eine Leistung, die der Konzeption des modernen Menschenbildes vorausgeht. Auf den ersten Blick ist daran viel Schmerzliches und doch auch wieder viel Ironisches, wodurch um den disharmonischen Helden herum ein neues tragikomisches Spielfeld entsteht. In der Relativität der Begriffe sind Schön und Häßlich austauschbar geworden, hat Gut und Böse sein eindeutiges Vorzeichen verloren, aber auch der Trennungsstrich zwischen Tragisch und Komisch fällt weg. Die Existenz des Unbehausten, der Lust und Unlust als sein Recht in Anspruch nimmt und ihm auch preisgegeben ist, wird tragischer als die Tragödie und komischer als die Komödie.

Der Bundesroman inszeniert das Geheimnis der Logen als hintergründiges Spiel. Er dehnt die kleinen Paradiese des Familienromans zu einer noch unbetretenen Weite aus. Er läßt über den Bereich des Nützlichen hinaus Felsenpartien, Wälder und Wasserstürze als lauerndes Verbrechen entstehen. Grosse verlegt den Standort der Bundestätigkeit aus den Pyramiden und Tempeln Ägyptens, wie es im Massenbetrieb der Romane Mode war, in die Labyrinthe, zu denen man hinuntersteigt. Es ist keine rein literarische Figur. Es hat Logen gegeben, die in Labyrinthen getagt und den Erlebniswert ausgebeutet haben, der im Umweg vom Berechenbaren zum Unberechenbaren liegt.[63] Im kunstvollen Park stehen wir plötzlich vor einer Steinplatte, hinter der die Stufen hinunter in eine »unbekannte Landschaft« führen. Schon in unseren Gärten lauert eine alte Geheimnisfigur, die der Manierismus vom Buchstabenlabyrinth angefangen in allen Formen geliebt hat. Da beginnt ein Innerlichkeitserlebnis, das auch dem Anorganischen von Stein, Erz und Spiegel offen ist. Die Romantiker werden Labyrinthgänger, in Träumen, Reflexionen, in den Schachten der Berge, in der Untiefe des eigenen Selbst. Man verläßt den gesicherten Boden, den jeder verständige Hausvater kennt und respektiert. Der Bundesroman fängt noch damit an, daß alles Geheimnis Schrecken ist und alles Unterirdische kriminell, was jede Sicherheit bedroht. Und Sicherheiten werden im Philanthropischen der Aufklärung großgeschrieben. Im *Abdallah* versucht es Tieck noch mit den herkömmlichen Mitteln. Er tut es ohne jede klassische Sparsamkeit, mit sprachlichen Übertreibungen, mit Häufung von Motiven und einem Wortschatz, der sich an Verhüllen und Enthüllen nicht genugtun kann. Er kompliziert die Erzählung durch den Einsatz von zwei Emissären, die als der gute und der böse Geist um den Helden streiten. Er verbleibt im Orientalischen, das heißt, in einer »unbekannten« Landschaft, die nichts von der Helligkeit der Antike hat, die aber auch das Wetterleuchten unserer Himmel noch nicht besitzt. Die Geschichte ist noch in makabren Zeichen aufgeschrieben, die erst A. W. Schlegel als Bonner Professor mit dem Sanskrit ins Lesbare übersetzt.

Von da an geht es weiter zum Weltmännischen von *William Lovell*. Das Vergafftsein in den Genuß, das Geheimnisvolle einer Führung, die unsere Wege verrätselt, hat Grauen in sich, eine Erschütterung, aber auch eine Schönheit. So entstehen die Märchen um die Nachkommen von Lovell, die nicht mehr mit einem »Es war einmal« beginnen, sondern mit der Einsamkeit, mit dem Abend, der so dunkel wird, mit dem Bach, der in Klagen ausbricht, und den Wolken, die die Sehnsucht antreibt (*Runenberg*). Diese Märchen sind keine glückliche Welt, sondern eine, die, von Träumen und Schock überrascht, zur menschlichen Agonie wird. Es geht um Menschen, die über das Erröten und auch über Enttäuschungen hinaus sind und nur noch mit dem Geheimnis in sich leben. Eckbert gibt den Schuß ab auf den Freund, der zu viel weiß, Christian (*Runenberg*), von Geheimnis entstellt, wird von Elisabeth nicht mehr erkannt, und Emil (*Liebeszauber*) verfällt einem Fensterausschnitt in Rot und Blut; ein Geheimnis, das wortlos in seiner eigenen Bluttat untergeht. Jedes Leben hat seinen Mord, jeder Mensch ist ein Täter, und jede Tat ist ein Geheimnis, das auch Geheimnis bleiben will. Bösewichte, in den großen Mantel gehüllt, Detektive, Alibi, Entdeckung und Strafe gehören in eine Welt, die nicht träumt. Die Tieckgeneration ist unheimlich offen für die Schönheit der *terribilitàs,* die durch alle europäischen Städte schleichen als Kabbalistik, Alchymie und Okkultismus. Umsturz, Geheimbund, Opposition brodeln in allen Winkeln der Stadt, die für die Literatur ein noch undurchsichtiger Raum ist. Das Labyrinth ist aber im *William Lovell* schon das Labyrinth der Stadtstraßen, von dem aus man ohne weitere Umstände in ein geräumiges Zimmer eintritt, dessen Fenster sich am Morgen in die gewöhnliche Welt öffnen. Hier wird das schöne Grauen heraufbeschworen, das Stimmen und Gespräche in uns hinterlassen, die ebenso hintergründig wie absurd erscheinen Das sind die Stimmen aus dem Helldunkel der Stadt, die zu atmen beginnt. Nur die Provinz darf ohne Geheimnis leben. Zu dem behaglichen Abseits, zu den ungekünstelten Gärten und dem Nachsommerlichen der Ehen gehört die

Idylle. Die Stadt setzt dafür künstliche Paradiese ein. Durch alle Schülerarbeiten Tiecks gehen schon Paradiesträume. Lini und Almansur stellen einfache Modelle auf, Ryno schaut von der Felsenspitze befremdet auf das traumlose Bürgerglück hinunter, und Lovell weiß bereits, daß solche Träume aus Spiel und Rausch gemacht sind, daß alles Verborgene sich in Entfremdung und Deformation kleidet.

Der Raum, in dem sich diese Menschen bewegen, unterliegt im Bundesroman einer wesentlichen Veränderung. Im Gemüsegarten der kleinen Freuden und in der Landschaft der arkadischen Unschuld schießen die Blumen des Bösen auf, die in den E. T. A. Hoffmannschen Gärten verwildern. Die zwielichtige Handlung, die das Ganze durchzieht, braucht ihre Schatten und ihren Donner. Der Trivialroman entwirft ein Standard-Modell – Grausnächte –, in denen Unwetter und Mitternachtsstunde den Helden von der sicheren Heerstraße abbringen und in Hilflosigkeit und Schrecken stürzen. Das ist ganz unverhohlen eine Moritaten-Landschaft, die für ein Jahrmarktspublikum gemacht ist. Das Unwegsame, das der Vorsichtige, der sein Brot redlich verdient, mit gläubigem Abscheu meidet und das der Unbehauste liebt, erwacht erst später.

Diese Monster-Natur[64], durch die der Held hindurchmuß, verpöbelt bis zu einem gewissen Grad die magische Landschaft der manieristischen Graphik zu einer Zaubernatur mit kriminellem Kolorit. Aus dem schwarzen Hintergrund eines Sacro Bosco, wie ihn das 16. Jahrhundert als Fabelpark von Bomarza angelegt hat, treten die Figuren hervor. Die manieristischen Gewitterhimmel und die nächtlichen Brände werden aufgefärbt. Donner, Fackellicht, Gerassel und Schüsse fallen hinein und entstellen das Letzte an gesichertem Umriß. Die Theaterkulisse des Schreckens kennt aber noch keine Geräusche, die der Maschinist nicht machen könnte. Sie tönt noch nicht aus sich heraus. Diese Nachtmalerei mit künstlichen Beleuchtungseffekten geht dem geheimnisvollen Licht über dem Runenberg und den romantischen Mondnächten des *Oktavian* voraus, die den Zauber atmosphärischer Erscheinungen in den Wolken und Nebelspielen entdecken und sie unter die Regie von Dichter und Romanze stellen. Tieck lernt an dem trivialen Modell den Gebrauch eines Wortschatzes, mit dem er alle Schrecken der Einsamkeit und der Gefahr bewältigen kann. Er kennt »die schwarze Tiefe des Unglücks« (*Abdallah* 18), »die Qual seiner Wonne« (85), »die Wüste seiner Seele« (168), »ein wehmütiges Entsetzen« (196), »eine kalte Freude«, »einen schwarzen Winter« (252). Er übertrifft das Triviale durch die gekünstelte Häufung von Vorstellungen, durch Ton und Lichterscheinungen, die den Helden zerstören.

Grosse bringt diese Kulisse zum Flimmern, und die romantische Nacht löst den Gegenständen vollends die Zunge. Ein Garten besteht jetzt aus »ungeheuren Wetterbäumen« und »unzähligen Luftschlössern von überraschender Bauart«, ist voll von »Krystallpflanzen« und »Edelsteinblüten«. Und ein Märchen beginnt nun so: »Der alte Held schlug an seinen Schild, daß es weit umher in den Gassen der Stadt erklang ... da fingen die hohen bunten Fenster des Palastes an von innen heraus heller zu werden, und ihre Figuren bewegten sich. Sie bewegten sich lebhafter, je stärker das rötliche Licht ward, das die Gassen zu erleuchten begann. Auch sah man allmählich die gewaltigen Säulen und Mauern selbst sich erhellen; endlich standen sie im reinsten milchblauen Schimmer, und spielten mit den sanftesten Farben« (Novalis, *Ofterdingen*). Bäume, Wolken, Wasser winden sich im Serpentinastil. Das Stupore der Schreckenslandschaft wird zur Kunstfigur einer erdachten Landschaft, der der Mensch seine eigenen Disharmonien schenkt. Auch sie hat ihre Schatten und ihre Donner, aber der Dichter kennt auch schon die Frage: »Wer kann wissen, was ein Schatten ist?« (*Lovell* I, 230)

Der Bundesroman läßt den Raum keineswegs leer. Er füllt ihn mit allem Aufwand von Felsen, Schluchten, Wildbächen und Tannenwäldern, die in einer gewissen räumlichen Zusammenhangslosigkeit verbleiben. Nicht das einzelne Element ist zur unmittelbaren Wirkung gesteigert, erst die ungeheure Menge der Schaustücke ergibt das Panorama des Schreckens, wie es auch in den Kunst- und Wunderkammern der intellektuellen Fürsten des 16. Jahrhunderts angelegt war.

Tieck setzt eine neue *terribilità* ein, mit der er das überladene Guckkastenbild durch ein einziges artistisches Zeichen in einen modernen überzeugenden Bühnenraum verkehrt. Es gibt sozusagen keine Gegenstände mehr, über die der Leser stolpert. So wie der Manierismus die Figuren streckt, und so wie er die Bergkönigin (*Runenberg*) und die Elfenfrauen (*Elfen*) streckt, so streckt er auch die Hügelketten der Idylle zu ungeheuren Felsengipfeln von feindlichen Proportionen. Er zeichnet in die gesicherte Horizontale der Gärten und Teichlandschaften eine Vertikale ein, die aus der Tiefe der Labyrinthe heraufsteigt, die alle Farben verliert, die zum begreiflichen Leben gehören, und schon als Wort für Bertha (*Eckbert*), das Kind aus dem Dorf, fürchterlich klingt. Dieses Gebirge ist eine zielbewußte Entstellung einer Naturform, eine Abstraktion, die auf das Bekannte der Außenwelt verzichtet. Neu ist daran die Bewußtheit vom Unfaßbaren der Dimensionen und vom Beängstigenden der Linien und Winkel, womit eine Verzauberung der Welt eintritt, die wir lange mit dem Wort dämonisch nur vage umschrieben haben. Über der unbekannten Landschaft der Labyrinthe, von der die guten Stuben nichts wissen, entsteht durch in sich ruhende Gebirge – vom Standpunkt der Idylle aus gesehen – die Landschaft des Bösen, in der sich der Mensch an dunklere Stimmen verliert. Die Bereitschaft, sich zu vertiefen, in Labyrinthen und Luftschlössern zu leben, ergibt neue Himmel neben den Paradiesen, die uns von Kind an mitgegeben werden. Man sucht weder Ruhe noch Vergnügen, sondern Affekt, Gefahr, Grauen, Ironisches und Absurdes, womit man vom Trivialen zur Romantik überwechselt.

Mit der Aufnahme einer tatsächlichen Wirklichkeit hat das wenig zu tun. Das ist nicht Natur, wie sie vor dem Fenster steht, sondern eine Wirklichkeit, die erfunden ist, die aus fast abgebrauchten Zeichen neu gemacht wird. Gerade aus dem Vertikalismus von Bergen und einsamen Bäumen, wie sie von Ludwig Tieck bis Caspar David Friedrich gezeichnet wurden, wird begreiflich, daß aus der Verneinung des Mustergültigen von Bondly und Roger-place hundert Jahre später die Welt der Hochhäuser, Schlote und Antennen an uns heranrückt und Bilder und Verse mit einer Gegenständlichkeit füllt, die Bondly für immer verabscheut.
Das Verlangen nach den einfachen Formen der Idyllik, mit denen Geßner, Voß und selbst noch Goethe in *Hermann und Dorothea* vom Feierabend, von Geburtstagen und Hochzeitstagen, von Gardinen, Kaffee und Tabak gesprochen haben, tritt zurück. In der beschreibenden Exaktheit der Idylle, die noch in der Gnade Gottes steht, können Grenzstriche weder versetzt noch aufgehoben werden. Aber Kain, der Maudit unter den menschlichen Brüdern, wendet sein Gesicht vom Acker ab und wendet es dem Kernraum der Stadt zu. Er schaut im Bewußtwerden des Lebens nach dem Neben- und Gegeneinander von Reflexion und Hemmungslosigkeit aus, nach dem Sprunghaften, Oberflächlichen, Schwerblütigen, nach Gesetz und Anarchie. Die heile Welt der Äcker und ihrer geradlinigen Furchen wird von anderen Existenzproblemen überschrien. Aus den exotischen Pflanzen der Parke und Glashäuser steigt ein böser Duft auf, und aus den Häuserschluchten der Städte brechen in Ironie und Schwermut die Manifeste der Intellektuellen, die nichts mehr mit eindeutigen Begriffen zu tun haben Paradiese und Höllen werden aus der Stabilität von Gut und Böse herausgehoben, ins Mehrdeutige getaucht, und die idyllische Mittellage der Stimmen fällt aus.
Man hat in dieser Entfremdung vom Naiven und in der Chiffrierung chaotischer Vorgänge nicht nur den Beginn eines Dekadenzproblems aus der Privatsphäre der Intel-

lektuellen zu sehen geglaubt, sondern auch einen Wirklichkeitsverlust, weil man vom Mustergültigen harmonischer Modelle ausging und an Wirklichkeitssicherheiten gewöhnt war. Die Wirklichkeit des romantischen Reflexionsprozesses, der einsetzt, liegt auf einer anderen Linie. Wirklich ist, daß alles unbegreiflich werden kann, daß über allem der Schleier des Unberechenbaren liegt. Wir haben vielleicht Grund, um die Gesellschaft zu bangen, nicht um die Kunst. Weil der Dichter, den Blick in sich gerichtet, reflektiert und in Zeichen abstrahiert, darf der Leser träumen und empfinden.

## Anmerkungen

1 Ludwig Tieck, Schriften, Berlin 1828–54, VIII, S. 76
2 Marion Beaujean, Der Trivialroman in der zweiten Hälfte des 18. Jahrhunderts (Abh. zur Kunst-, Musik- und Literaturwiss. Bd. 22), Bonn 1964, S. 5
3 Friedrich Sengle, Die literarische Formenlehre, Stuttgart 1967, S. 10
4 L. Tieck, a. a. O., IV, S. 26/29
5 L. Tieck, a. a. O., X, S. 184
6 Wilhelm Heinrich Wackenroder, Werke und Briefe, Heidelberg 1967, S. 349
7 F. J. Schneider, Die Freimaurerei und ihr Einfluß auf die geistige Kultur in Deutschland am Ende des 18. Jahrhunderts, Prag 1909
Marianne Thalmann, Der Trivialroman des 18. Jahrhunderts und der romantische Roman (Germ. Studien, H. 24), Berlin 1923
8 M. Beaujean, a. a. O., S. 150
9 E. T. A. Hoffmann, Sämtliche Werke (Serapion-Ausgabe), Berlin/Leipzig 1922, XI, S. 172
10 L. Tieck, a. a. O., XI, XIII
11 L. Tieck, a. a. O., XI, XXII
12 Rudolf Köpke, L. Tieck, Erinnerungen aus dem Leben des Dichters, Leipzig 1855, I, S. 10 f.
13 Rudolf Haym, Die romantische Schule, 3. Aufl., Berlin 1914, S. 31
14 R. Haym, a. a. O., S. 33
15 W. H. Wackenroder, a. a. O., S. 322
16 W. H. Wackenroder, a. a. O., S. 320
17 E. H. Zeydel, L. Tieck, The German Romanticist, Princeton 1935, S. 27
18 M. Beaujean, a. a. O., S. 36 ff.
19 E. H. Zeydel, a. a. O., S. 26
20 W. H. Wackenroder, a. a. O., S. 562
21 R. Haym, a. a. O., S. 36

22 R. Haym, a. a. O., S. 33
23 R. Haym, a. a. O., S. 31
24 R. Köpke, a. a. O., I, S. 113
25 M. Thalmann, a. a. O., S. 120 ff.
26 Aus dem Nachlaß Varnhagen's von Ense, Briefe, hrsg. v. Ludmilla Assing, Leipzig 1867, I, S. 236
27 W. H. Wackenroder, a. a. O., S. 434
28 W. H. Wackenroder, a. a. O., S. 432
29 Caroline Schlegel, Briefe aus der Frühromantik, hrsg. v. E. Schmidt, Leipzig 1913, I, S. 145
30 C. Schlegel, a. a. O., I, 260/61
31 L. Tieck, a. a. O., XXIII, S. 104
32 R. Steig, Achim von Arnim und die ihm nahe standen, Stuttgart/Berlin 1913, I, S. 22
33 Clemens Brentano, Das unsterbliche Leben. Unbekannte Briefe von C. B. hrsg. v. W. Schellberg u. Fuchs, Jena 1939, S. 93
34 Cl. Brentano, a. a. O., S. 50
35 R. Steig, a. a. O., I, S. 38
36 F. J. Schneider, a. a. O., S. 101
37 E. T. A. Hoffmann, a. a. O., III, S. 15
38 F. J. Schneider, a. a. O., S. 47
39 Else Kornerup, Graf Edouard Romeo Vargas. C. Grosse. Kopenhagen 1954
40 Laut freundlicher Mitteilung von Dr. Herbert Jakob, Berlin, Akademie der Wissenschaften
41 C. Schlegel, a. a. O., I, S. 210/11
42 E. Kornerup, a. a. O., S. 15/16
43 C. Schlegel, a. a. O., I, 180
44 C. Schlegel, a. a. O., I, 265
45 W. H. Wackenroder, a. a. O., S. 343
46 W. H. Wackenroder, a. a. O., S. 315
47 C. Schlegel, a. a. O., I, S. 252
48 W. H. Wackenroder, a. a. O., S. 348
49 E. T. A. Hoffmann, Briefwechsel, hrsg. v. Friedrich Schnapp, München 1967, I, S. 52/54
50 E. T. A. Hoffmann, Werke, III, S. 20
51 W. H. Wackenroder, a. a. O., S. 315
52 M. Beaujean, a. a. O., S. 128
53 R. Haym, a. a. O., S. 33
54 Willi Baumeister, Das Unbekannte in der Kunst, 2. verb. Aufl., Köln 1960
55 L. Tieck, a. a. O., XXIII, S. 53
56 R. Steig, a. a. O., I, 41

57 Goethe/Schiller, Briefwechsel (Die Fischer Bibl. der hundert Bücher, 41), S. 277
58 R. Haym, a. a. O., S. 43
59 Fritz Giese, Der romantische Charakter, Langensalza 1919, S. 98
60 Arnold Gehlen, Anthropologische Forschung (Rowohlt Enzyklopädie 138), S. 59
61 L. Tieck, a. a. O., XV, S. 31
62 M. Thalmann, Romantiker entdecken dic Stadt, München 1965 (Kap. Die unvergnügte Seele)
63 Nach persönlichen Angaben von Dr. Hans Grassl (Aufbruch zur Romantik, München 1968) liegen solche Bilder von einer Salzburger Loge vor.
64 M. Thalmann, Trivialroman, a. a. O., S. 4 ff.

## Bibliographische Hinweise


Adler, Alfred, Möblierte Erziehung. Studien zur pädagogischen Trivialliteratur des 19. Jahrhunderts. München 1970

Appell, J. W., Die Ritter-, Räuber- und Schauerromantik. Leipzig 1859

Bauer, R., Der historische Trivialroman im ausgehenden 18. Jahrhundert. Diss. München 1930

Bausinger, Hermann, Zu Kontinuität und Geschichtlichkeit trivialer Literatur. In: Festschrift für K. Ziegler (1968) S. 385/410

Bayer, Dorothee, Der triviale Familien- und Liebesroman im 20. Jahrhundert. Tübingen 1963

Beaujean, Marion, Der Trivialroman in der zweiten Hälfte des 18. Jahrhunderts. Die Ursprünge des modernen Unterhaltungsromans. (Abhandlungen zur Kunst-, Musik- und Literaturwissenschaft. 22.) Bonn 1964

Flessau, Kurt-Ingo, Der moralische Roman. Studien zur gesellschaftskritischen Trivialliteratur der Goethezeit. Köln und Graz 1968

Foltin, Hans Friedrich, Die minderwertige Prosaliteratur. Einteilung und Bezeichnungen. In: Dt. Vjschr. 39 (1965). S. 288/323

Greiner, Martin, Die Entstehung der modernen Unterhaltungsliteratur. Studien zum Trivialroman des 18. Jahrhunderts. (Rowohlts dt. Enzyklopädie. 207.) Reinbek b. Hamburg 1964

Klein, Albert, Die Krise des Unterhaltungsromans im 19. Jahrhundert. Ein Beitrag zur Theorie und Geschichte der ästhetisch geringwertigen Literatur. (Abhandlungen zur Kunst-, Musik- u. Literaturwissenschaft. 84.) Bonn 1969

Kreuzer, Helmut Trivialliteratur als Forschungsproblem. Zur Kritik des dt. Trivialromans seit der Aufklärung. In: Dt. Vjschr. 41 (1967). S. 173/91

Langenbucher, Wolfgang, Der aktuelle Unterhaltungsroman. Beiträge zu Geschichte und Theorie der massenhaft verbreiteten Literatur (Bonner Beiträge zur Bibliotheks- und Bücherkunde. 9.) Bonn 1964

Müller-Dyes, Klaus, Der Schauerroman und Ludwig Tieck. Über die dichterische Fiktion im »Blonden Eckbert« und »Runenberg«. Diss. Göttingen 1966

Nutz, Walter, Der Trivialroman, seine Formen und seine Hersteller. Ein Beitrag zur Literatursoziologie. (Kunst und Kommunikation. 4.) Köln, Opladen 1962

Schulte-Sasse, Jochen, Die Kritik an der Trivialliteratur seit der Aufklärung. Studien zur Geschichte des modernen Kitsch-Begriffs. München 1970

Studien zur Trivialliteratur. Hrsg. v. Heinz Otto Burger. (Studien zur Philosophie und Literatur des 19. Jhs. 1.) Frankfurt/M. 1968

Thalmann, Marianne, Der Trivialroman des 18. Jahrhunderts und der romantische Roman. (Germanische Studien. 24.) Berlin 1923

Trivialliteratur. Aufsätze. Hrsg. v. Gerhard Schmidt-Henkel u. a. Berlin 1964

## Namen- und Sachregister

*(Das Register enthält nur Namen und Begriffe, die im Text des Bandes erscheinen.)*

## Über den Autor

Marianne Thalmann wurde in Linz/Donau geboren. 1924 habilitierte sie sich für Neuere Deutsche Literatur an der Universität Wien und wurde 1932 zum tit. a. o. Professor ernannt. 1933 folgte sie einer Berufung an das Wellesley College, Mass./USA. 1962 kehrte Marianne Thalmann nach Europa zurück und ließ sich in München nieder.
Wichtige Publikationen: »Der Trivialroman des 18. Jahrhunderts und der romantische Roman« (1923); »Gestaltungsfragen der Lyrik« (1925); »Die Anarchie im Bürgertum« (1932); »Der romantische Weltmann aus Berlin« (1955); »Das Märchen und die Moderne« (1961); »Romantik und Manierismus« (1963); »Zeichensprache der Romantik« (1967); »Romantiker als Poetologen« (1970).

*Literaturwissenschaft*

*Großband 1441*

## Theodore Ziolkowski
## Strukturen des modernen Romans

*Deutsche Beispiele und europäische Zusammenhänge. Aus dem Amerikanischen von Beatrice Steiner. (Erscheint 1971)*

Zwei Aufgaben erfüllt Ziolkowskis Buch: In seinem ersten Teil bietet es eine Charakteristik des modernen deutschen Romans, erarbeitet an fünf repräsentativen Beispielen (Rainer Maria Rilke, Franz Kafka, Thomas Mann, Alfred Döblin, Hermann Broch). Im zweiten Abschnitt werden die in den Einzelinterpretationen gezeigten Motive und Symbole in einen globalen Zusammenhang gebracht.

*Philosophie*

*Sonderband 1641*

## Stephan Körner
## Grundfragen der Philosophie

*Aus dem Englischen von Gisela Shaw.*

Im Zeitalter der Kybernetik und der »Mathematisierung unserer Welt« hat sich auch der Blickwinkel der Philosophie verändert. Stephan Körners Arbeit umfaßt den Gesamtraum der Philosophie und berücksichtigt u. a. die Gesellschafts- und Geschichtsphilosophie; sie behandelt jedoch zentral die Probleme der mathematischen Logik, und zwar in einer für den Nicht-Fachmann verständlichen Weise.

LIST

List Taschenbücher der Wissenschaft

*Politik*

*Band 1552*

## Profile und Programme der Dritten Welt

*Herausgegeben von Peter J. Opitz.*

In diesem Buch werden die politischen Programme von Gandhi, Nehru, Mao Tse-tung, Sukarno, Nasser, Nkrumah, von einem Team von Experten dargestellt, interpretiert und kritisch analysiert. Diese Programme enthalten die Gesellschafts- und Ordnungskonzeption der Männer, die im Befreiungskampf ihr Land in die politische Unabhängigkeit geführt und entscheidend die politische und staatliche Entwicklung in Afrika, Asien und Lateinamerika beeinflußt haben.

*Großband 1551*

## Robert J. Lifton
## Die Unsterblichkeit des Revolutionärs

*Mao Tse-tung und die chinesische Kulturrevolution. Aus dem Amerikanischen von Hedda Herwig.*

Das umfassende Thema dieses in angelsächsischen Ländern berühmt gewordenen Werkes sind die Versuche, die Menschen unternehmen, um ihre Werke – und besonders ihre revolutionären Werke – unsterblich zu machen. Die spezifische Ursache der Kulturrevolution sieht Lifton in der Angst des maoistischen Menschen, die eigene Unsterblichkeit durch revisionistische Korruption des revolutionären Ideals zu verlieren.

**LIST** List Taschenbücher der Wissenschaft

*Geschichte des politischen Denkens*

*Band 1504*

## Chinesisches Altertum und konfuzianische Klassik

*Politisches Denken in China von der Chou-Dynastie bis zur Han-Dynastie. Herausgegeben von Peter J. Opitz.*

*Band 1506*

## Respublica Christiana

*Politisches Denken des orthodoxen Christentums im Mittelalter. Herausgegeben von Peter von Sivers.*

*Band 1507*

## Das politische Denken der Griechen

*Klassische Politik von der Tragödie bis zu Polybios. Herausgegeben von Peter Weber-Schäfer.*

*Großband 1508*

## Vom Konfuzianismus zum Kommunismus

*Von der Tai-ping-Rebellion bis zu Mao Tse-tung. Herausgegeben von Peter J. Opitz.*

*Band 1509*

## Vom Nationalstaat zum Empire

*Englisches Politisches Denken im 18. und 19. Jahrhundert. Herausgegeben von Manfred Henningsen.*